U0064429

劉福春・李怡 主編

民國文學珍稀文獻集成

第三輯

新詩舊集影印叢編　第98冊

【王獨清卷】

聖母像前

上海：光華書局 1926 年 12 月初版

王獨清 著

死前

上海：創造社出版部 1927 年 8 月初版

王獨清 著

獨清詩集

上海：新宇宙書店 1928 年 6 月初版

王獨清 著

花木蘭文化事業有限公司

國家圖書館出版品預行編目資料

聖母像前／死前／獨清詩集／王獨清　著 — 初版 — 新北市：花木蘭文化事業有限公司，2021〔民 110〕

90 面／54 面／76 面；19 ×26 公分

（民國文學珍稀文獻集成・第三輯・新詩舊集影印叢編　第 98 冊）

ISBN 978-986-518-473-5（套書精裝）

831.8　　10010193

ISBN-978-986-518-473-5

民國文學珍稀文獻集成・第三輯・新詩舊集影印叢編（86-120 冊）
第 98 冊

聖母像前
死前
獨清詩集

著　者　王獨清
主　編　劉福春、李怡
企　劃　四川大學中國詩歌研究院
　　　　四川大學大文學學派
總 編 輯　杜潔祥
副總編輯　楊嘉樂
編　輯　許郁翎、張雅淋、潘玟靜　美術編輯　陳逸婷
出　版　花木蘭文化事業有限公司
社　長　高小娟
聯絡地址　235 新北市中和區中安街七二號十三樓
　　　　電話：02-2923-1455／傳眞：02-2923-1452
網　址　http://www.huamulan.tw 信箱 service@huamulans.com
印　刷　普羅文化出版廣告事業
初　版　2021 年 8 月
定　價　第三輯 86-120 冊（精裝）新台幣 88,000 元

聖母像前

王獨清 著

王獨清（1898 ～1940），生於陝西西安。

光華書局（上海）一九二六年十二月初版。原書方二十開。

聖母像前
王獨清著
K259.18
(62)2

聖母像前

王獨清著

上海四馬路
光華書局印行
1926

聖母像前：王獨清著
一九二六年十二月初版
有著作權，不准翻印
全一冊實售大洋六角

目　　次

序

我是個精神不健全的人，

我有時放蕩，我有時昏亂…

但是我却總是親近着悲哀，

這兒，就是我那些悲哀底殘骸。

我是個性情狠孤獨的人，

我不求諒解，我不求安慰…

但是我却總是陪伴着悲哀，

這兒，就是我那些悲哀底殘骸。

——我底悲哀底殘骸，我底悲哀底殘骸，

去，去，去把和我一樣的人們底悲哀快叫起來！

（九，三月，一九二六。）

〔I〕

悲哀忽然迷了我底心

聖 母 像 前

聖　母　像　前

『…紇與顏女氏野合而生孔子，禱於尼丘而得孔子，
…丘生而叔梁紇死，
…由是孔子疑其父墓處，母諱之也。』（史記）

I

我獨行在荒涼的市中，
悲哀忽然迷了我底心，
我走進了一個老 Musée 底門；
滿壁上都是半古的圖畫，都是已死的世紀中之人形，
……………………………
我却只是在這些四圍的圖畫中往來地搜尋，
總想尋出一張我心中悲哀底背影，
哦，這不是 Giudo Reni 底 Mater dolorosa!
好一幅合我心境的圖畫!
畫中的人，你兩眼含着痛淚，哦，馬利亞!
你是在仰看你受着磔刑的私生兒麼?
私生兒，私生兒是你羞辱中的產物!
我想起你在馬槽中的那一晚，
是怎樣的冷寂而難堪!
痛呀!痛呀!我底心痛呀!

我底眼光卽刻被淚溶化。
好模糊的境地喲，啊，好模糊的境地！
畫中人忽然隱退，
却是一個奇異的景色
在我底眼前來代替。

II

——啊啊，一個早秋的山丘呀！
啊啊，一個跪着在祈禱的女郎呀！
她散着她底長髮，
她披着一件黑衣，那樣寬！那樣大！
她臉上滿罩了羞辱，
她眼中悔恨的淚，不住地流；
秋風吹動了她底黑衣，
她底長髮也飄舉在空際，
她却只是不動地跪着哀啼…
哦，這不是尼丘之山麼？
跪着的人，不是顏氏女麼？
是的，顏氏女！她褪了色的唇兒正在微動，
哽咽的喲！顫抖的喲！
她吐出這樣悲慘的訴聲！

III

『神，尼丘之神！
像我這樣犯了罪的人，
如何敢與你接近？
我就把我蒙羞的聲喉哭損，
我就把我可恥的淚泉流盡，
唉，我也不敢求你降恩！
但是，你知道我過去的人生；
我爲了火一樣不可遏抑的慾情
捨了我處女之身；
這一場發狂的痕印，
已牢貼在我不潔的身中！
神，尼丘之神！
我只祈禱我這不潔的身中，
養着個絕世天才的生命，
使他降生後，造成偉大的人格，哦，神！
把我底恥辱一齊洗淨！』

IV

那又是誰？一個人在顏氏女底身後出現，
他那寬袖的長衣，

他那高頂的峩冠，
他那掩住了頷頰的亂鬢，
他那含着愁苦的容顏‥
哦 孔叔梁紇！他正扶着重病！
他凝視着跪在地上的愛人，
他用雙手緊握着前胸，
心痛麼，病勢不支的叔梁紇喲？
他像有如結的愁腸，
知道他底生命已難久長，
他留給了他愛人--個未出世的孤兒，
還要他愛人隻身受苦去撫養！

V

『愛人呀，你不要再哭罷！』
叔梁紇彷彿在呻吟中斷續地說話，
『我這陪伴你的生命，
已如那秋後之花！
愛人呀，你因我忍着自己切身的疾苦，
你因我受着人間殘酷的欺凌；
我此身有一刻的熱氣，
我此心便有一刻的隱痛！

哦，我將死的遺囑，

現在且不妨對神說明：

若是我死時，孤兒降生，

我底埋骨處，切莫使他去認，

免得，免得汚傷了他那嫩弱的深心…』

他底話未曾說完，

顏氏女被這劇烈的悲哀催得顏色突變，

啊啊，她，她伏在地面…

風！風！風就把她底散髮吹得十分零亂！——

VI

這悲劇底活現，

驚得我底心在胸中猛跳，

哦，幻景消失了！

我還癡立在馬利亞底像前，

只有淚還在我眼裏潮潤；

留在我眼前的，還只是一個露着半身的畫中人！

畫中人，你總是這樣愁悶！

你還在仰看你底私生兒？

你還在仰看你私生兒頭上的十字架？

你是東方的顏氏女麼？你還是西方的馬利亞？

顏氏女！馬利亞！你兩個是東與西的私生兒之母喲！

私生兒之母，你兩個是東與西的悲哀之母喲！

私生兒之母，你兩個是東與西的智慧之母喲！

………………………………………

現在我醒了，醒了：

我眼前的馬利亞，我心上的顏氏女！

智慧是由悲哀造成，悲哀，是永遠不死！

哦，智慧的尋求者！哦，我！

我要先尋求悲哀去，

我要以悲哀的尋求，爲我人生底開始！

三〇，一月，一九二三。

〔II〕

流　罪　人　語

醒後

時候到了，我不應當再留戀。早晨的風，吹得我好冷！蓋住一切的露水，浸得我好濕！

唉，我這個棄了人的人！

這兩年來的生命那裏去了？心中的熱呀，眼中的淚呀，口中的秘語呀…

但是時候到了，我應當忍着苦早一點走：就任風把我冷透！就任露水把我濕遍！

唉，我這個棄了人的人！

流罪人底預約

我去了，去了，熟黃的葡萄園！

唉，我底葡萄園，就讓那狠惡的鄰人去砍燒罷！我只願我再來時，我再來時能拾得灰土裏僅存的一張枯葉…

我去了，去了，縞素衣的未婚妻！

唉，我底未婚妻，她在可怕的肺病中啜泣呢！我準備我再來時，我再來時向冷風下荒草堆的路旁去尋訪孤墳…

— 2 —

月 下 的 病 人

夜靜了，只有冷白的月兒照着我底路。

哦，叫起我 nostalgia 的在我腳下的粗暴死葉聲··

可憐的故鄉喲！那里剩了些半頹的墳，那里剩了些已枯的草，那里剩了些落花化的泥。

可厭的故鄉喲！我在那里失了些羞，我在那里發了些狂，我在那里造了些哄人的愛。

懷疑而作難的我…

但是，風在我身後不停地哭，我卻禁不住在這月兒照着的路上走得更快了。

淹　　　　留

你歌罷，歌罷，我這個亡命的人在這兒傾着耳聽呢！除非你怒了，或是倦了，——要是你底聲不止，我總是不去的。

你底聲中流出了些處女的恥氣，你底臉上有些不自禁的蕩情，——你歌罷，歌罷，我這個亡命的人在這兒傾着耳聽呢！

月兒由窗外穿進，穿進了這 mosquée 底廣庭。你底歌興還未足麼？… 你，你用這浪費喉間的生涯，送了長綏的白晝，又送這短急的黃昏；要到怎樣的光景，纔是你止歌的時候喲？

Neurasthénie

這是個可以致死而不可治的心病，醫生向我這樣說了！

唉唉；我等着罷，等着罷…

我眞不願，不願再在這地球上住了！這地球，這地球是一個已經腐敗了的土塊；人類呀，不過是這土塊上的rouilles …是的，是的，我常見的都是些可厭的男女！這些男女只有飢餓，只有情慾，只有遺傳與習慣的每日的蠢動…

唉唉，我等着罷，等着罷…

黑夜底濃色纔由空中緩緩地落下，我一個人在暗光的街燈旁與冷空氣抵抗地立着。向我復讎的狂風把地上的枯葉一一吹起；這些枯葉，都像是對我襲擊似的，在逞行着亂暴。啊啊，我底煩燥快要把我底前胸裂破了！裂破了！現在正是人們完了工作的時候，這街上，這街上，這街上：年青的男女們都互做着他們底挑笑；無用的老人們都聚在 Café 內過他們底酒癮；衣裳整齊的先生們，都携着他們底婦人，孩子在安閒地走遊…啊啊，那街角上是羣衆忽出忽進的 bal 喲！啊啊，bal，bal 中開始了催我嘔吐的聲響：piano，violin，男女抱着發瘋的腳步…

唉唉，我等着罷，等着罷……

我眞不願，不願再在這地球上住了！這地球，這地球是一個已經腐敗了的土塊；人類呀，不過是這土塊上的rouilles…是的，是的，我常見的都是些可厭的男女！這些男女只有飢餓，只有情慾，只有遺傳與習慣的每日的蠢動…

唉唉，我等着罷，等着罷…

這是個可以治死而不可治的心病，醫生向我這樣說了！

〔III〕

失 望 的 哀 歌

（三月，一九二四。）

I

雨只是這樣的淒淋，

滴傷了我底深心。

我底深心，正感着急痛，

在想起昨日我別時的愛人。

我底愛人喲，

她底雙眉鎖得狠緊，

她底兩眼被淚浸溶，

她可憐的唇兒

已褪了胭脂般的緋紅…

雨只是這樣的淒淋，

濕透了我底靈魂。

我底靈魂，飛到昨日的舊境，

抱着了我不能見的愛人：

我底愛人喲，

好像雙眉仍鎖得狠緊，

兩眼却閉着不動；

那可憐的唇兒，

—— 1 ——

啊，竟然是殭冷如冰！

II

Saône 河，Saône 河，

你在汎着青波！

你傍邊坐了個孤人，

一個，一個失望了的我！

我，我只想跳進你波上的漩渦！

我只想跳進你波上的漩渦，

就任你把我來東捲，西播，

就任你把我送呀，送呀，

一直送停到她門前的那個石坡⋯

那石坡，她出門時便要在上面走過，

我便長眠在那兒——

哦！每日裏好接近她可愛的雙脚！

III

黑夜底冷雨落得不歇，

我獨在這條荒徑上返復徘徊。

哦！我獨在這條荒徑上返復徘徊，

往日底舊事就向我底回憶中湧來！

當我住在那河底南岸時節，

也有過這樣的一夜。

那一夜，雨也是儘打着樹葉，

我也是踏遍了滑苔。

但是那時節的我呀，

是爲着她，爲着她在等待……

那時節的我是爲着她在等待，

雖然我底全身都被濕溜掩埋，

我却總覺得是我底心兒甘愛！

決不像今夜的我呀，

唉，只是倦怠，只是悲哀！

IV

唵，太陽拖着夕暮的光輝，

涼風開始了愁人的號吹！

我在這高欄的橋上癡立，

隱帶着一種傷感的迷惑。

唵，人生正像是這片河水，

過去的那些奔流的波迹

　　是再也不回！

是的，使過去的生命再回，誰也不能！

不管是歡樂，悲哀，不管是友誼，愛情，

不管是沈醉，希望，非常溫柔的心境，

不管是寶貴的眼淚和誠意的誓盟！

但是我不是享受過最可愛的時間？

我不是有永遠地不能忘記的紀念？

　　唵，回憶罷！唵，回憶罷！

　　在這憔悴般的夕照下，

我願我病瘡的心向沈夢中去安眠！

— 5 —

哦！一個温和而早暖的春天，一個温和而早暖的春天，

只有我和她，對坐在一所幽靜的廣軒。

被陽光射滿了的窗扉在半開，半掩，

那沒有塵埃的庭地都是 mosaïque 的花磚。

她披着件單薄的長衣，色澤狠是素淡，

越顯得她臉兒蒼白，瘦弱，可憐；

像病了一樣的，她略露着怯懶，

不曾梳理的黑髮蓬鬆在她潔淨的額間。

一個作畫的檯架放在她底當面，

她用她那可愛的右手描着我底容顏；

她描好幾筆，便轉過她動人的眼兒來把我一看，

看過後，又舉起手兒去在檯架上細描一番。

此時只有和靄的沉默把四圍占據，

我覺得，這世界上除我和她以外，一切都像是早已消失。

我覺得她是高貴而莊重，却沒有一點兒虛驕的氣質；

我覺得她有嫵媚的姿態，雖然是不曾修飾。

我覺得我已改變了生活，再不像是個勞苦的浪子；

我覺得我今生最愛的是她，並且，是爲了她，我纔在這世界上寄居！

我陷入了陶醉的境狀，就這樣無言地和她對坐，

任她不停地看我，不停地描我，——作着她那優美的工作。

我就這樣無言地和她對坐，她就不停地作着她底工作，

一直到窗扉上的陽光快要沉沒：

她纔放下了筆兒，帶着工作後的煩悶，

無氣力地在做着她嬌困的欠伸；

我走向前去扶着她慢慢地起立，我底鬢磨着了她底膩鬢，

我底手觸着了她底纖手，我底肩和她底柔肩相親，

我們都倚在窗邊，——窗外有薔薇的棚架，

又有茂盛的丁香，滿開着紫色的繁花。

微風由 marronniers 底頂上緩緩落下，

携着些輕冷，來吹動她底黑髮。

只有我和她，倚在窗邊，送着陽光淡紅的薄影，

此時除了那些樹枝顫抖的音響，再沒有別的喧聲。

她忽然把頭兒靠到了我底胸前，好像耐不住那侵人的輕冷，

哦，就這樣！我們是漸漸地，漸漸地隱在了黃昏之中…

唵，眞可追想的那些可愛的時間！

唵，永遠地不能忘記的那些紀念！

我伏着橋上的高欄，

癡望着水上的綠漣，

回憶罷！回憶罷！

— 7 —

我願我底心呀，

就儘管這樣在沈夢中安眠！

她底眉兒是怎樣的表示着她純潔的性格！

她底唇兒是怎樣的泛着那嬌潤的顏色！

她底臉龐是那樣的秀媚，美好！

她底身裁是那樣的端莊，窈窕！

她底裝束又是何等的優雅，孤獨：

那淡青的頸巾！那薄黑的衣服！

她雖然是像有說不出的憂愁，失意，

常借她本來穩重的態度，守着厭煩多言的靜默，

但是那傷害年青的，悲苦的痕迹，

卻一點也不曾上她姣嫩而白皙的前額！

她底眼兒雖然是不肯向人多看，

常矜持地下垂，好像含羞一般，

但是她那傳達着情緒的眼瞼，

怎能掩住她眼兒裏的明淨，新鮮！

她底頭髮和她底衣服是一樣的色澤，但卻更要濃厚，光滑；

她嬈弱的雙肩，又像勝不起她衣服底輕壓；

沒有一種音響像她聲兒那樣使人感得甜蜜；

— 8 —

沒有一種動搖像她步兒那樣能把人引得癡迷；
她底淺顰能教人發見她姿致是分外娟妙；
她底微笑能誘人證出她底精神確是清高——
啊，她那清高的精神！啊，她那清高的精神！
她底舉動是無處不流露着大方，温存！
並且她那不施脂粉的素頰，不多整理的鬆鬢，
使人一見便知道，她從來不用無聊的修飾去消耗光陰！

唵，眞可追想的那些可愛的時間！
唵，永遠地不能忘記的那些紀念！
我伏着橋上的高欄，
癡望着水上的綠漣
回憶罷！回憶罷！
我願我底心呀，
就儘管這樣在沈夢中安眠！

哦！使我最不能忘記的是那一早晨，
她狠匆忙地走進了我在等待着她的那個 Salon 底寬門，
她是還穿着她長裾的寢衣，還沒有顯得流裝，整頓：
她底黑髮還散披在肩頭，她蒼白的頰上還帶着睡痕！

— 9 —

她纔看見了我，便奔向前來，用她半裸的兩臂抱住我底頸項，
仰起她底臉兒在向我訴說，但却哽咽得不能成聲；
她底眼兒在漲着熱淚，她底胸兒在起着鼓動，
她那不能抑止的感情，竟使她失了平日裏的鎮靜，從容！
她在斷續地向我訴說，她說她是犯了罪過，
她說她從此要謝絕一切人生的快樂；
她說她明知道不應該在那樣的環境中愛我，
但她自主的能力，她克制的意識，卻都完全被我收沒；
她說爲免除各人底煩惱，困難，
她只好讓我遠去，不敢強我再在她底身邊留連，
若是將來有一天，有一天我要來和她再見，
那便請我不要忘記了，以後她底住所是最幽靜的墳園！…
哦！她儘管向我訴說，任熱淚把她底臉兒浸洗，
她酥軟的胸兒是鼓動得更促更急。
她底悲苦純然是眞誠底流露，沒有一點兒假意：
她是怎樣的倒在了 Canapé 之上，幾乎，幾乎窒閉了呼吸！
哦！只有她，纔能觸動我深奧的靈魂！
哦！只有她，纔是我眞正的愛人！
我瘋了一般的抱住她，在她冰冷的額兒上狂吻，
她額兒上爲我出的那層薄汗，直沁痛了，沁痛了我底內心…

那一早晨是暴風像要把樹木吹折，

斜雨濕遍了寂寞而嫩寒的長街，

我低着頭走下了那個莊院門前的白滑的石堦，

遂與我一生唯一可戀的，一生唯一可戀的寓所，作了最後的告別。

唵，過去的生命怎麼就這樣在失望中消亡？

所餘留的卻僅僅是一個結在心上的病瘡！

但是她底容貌，言語，到死也留在我底心上，

雖然我是再不能靠近她底身旁！

現在四面都已經入了沈默，

河水底顏色也變成了黯黑。

停止罷，我底沈夢！

爆裂罷，我底哀痛！

那些紀念，

那些紀念，

已把我底心湧滿：

我願我底全身呀，

快到地下

去作永遠的安眠！

— 11 —

V

唉！我願到野地
去掘一深坑，
預備我休息，
不願再偷生！

我設想，若是我短命死後，
那廢路邊定有一座濕墓
在亂草裏孤立地掩着我底瘦骨。

我設想，那時正是悲愁的秋季，
冷風從病林內向外號吹，
可憐的落葉便把我底墓來繞圍。

我設想，晝色是短促地消亡，
月兒已出在很高的天上，
照得我長眠處是一片的荒涼。

我設想，那沈靜中忽響着寂寞的步音，

由遠方小徑上來了我底愛人，
她還是舊日的容鬢，還是舊日的衣裙。

我設想，只是她較舊日更是弱怯，
她又急急地前行，不肯少歇，
那不曾勞慣的脚兒像是在一步一跌。

我設想，她纔走到了我底墓前。
便迅速地跪下，全身振顫，
那些積累的落葉就做了她底拜墊。

我設想，她用她蒼白的兩手
掩住她底臉兒哽咽啼哭，
她底雙肩隨着她委曲的呼吸而起伏。

我設想，她那悽婉的哀聲
被冷風捉着向遍野傳送，
月兒也像驚訝地吐出了更慘淡的光明。

我設想，不久她便因傷感過度而疲憊，

— 13 —

呼吸漸漸地閉塞沈低，
最後是倒了下去，唇兒親着我墓上的新泥。

我設想，不久她底口兒逐啞，
只有月兒在吻着她底淚頰，
冷風在解散着她蓬鬆的鬢髮。

我設想，就這樣又到了晝色復回，
她還是在我底墓側，爲落葉護蓋：
從此她便伴着那個土堆，再也沒有醒來…

　　唉！我願到野地
　　　去掘一深坑，
　　　預備我休息，
　　　不願再偷生！

〔IV〕

頹　　　　廢

TÆDIUM VITÆ.

我　底　苦　心

你說我底年紀尙青，
不該在這 Café 內把酒痛飲。
但是你那里知道我底苦心！
我並非貪酒味底芳冷，
我只是想呀，想借酒汁中的頃刻間強烈之力
澆熄這不停地燒着我焦了一般肺臟的舊情！

你說我還有些聰明，
卻可惜只在 danse 場中濫用。
但是你那里知道我底苦心！
我本不願這樣的任性，
都因爲我想呀，想使這新偎着我的慘白顏色
趕走那在回憶中霸佔了我兩眼的可愛笑容！

— 1 —

玫 瑰 花

在這水綠色的燈下，我癡看着她，
我癡看着她淡黄的頭髮，
她深藍的眼睛，她蒼白的面頰，
啊，這迷人的水綠色的燈下！

她兩手掬了些謝了的玫瑰花瓣，
俯下頭兒去深深地親了幾遍，
隨後又捧着送到我底面前，
並且教我，也像她一樣的捧着來放在口邊…

啊，玫瑰花！我暗暗地表示謝忱：
你把她底粉澤送近了我底顫唇，
你使我們倆底呼吸合葬在你芳魂之中，
你使我們倆在你底香骸內接吻！

啊，玫瑰花！我願握着你底香骸永遠不放，
好使我底呼吸永遠和她底呼吸合葬，
——我願永遠伴着這水綠色的明燈，

— 2 —

我願永遠這樣坐在她底身旁！

— 3 —

Une jeune vagabonde persane

她手兒在 mandoline 底弦上輕撥，
她口兒唱着令人癡迷的柔歌。
她在弦上撥，她在弦上撥，
撥出的聲音就像是在哭她底罪惡…
哦，她既然是到處地奔波，
怎能不經些可悲痛的墮落！
我在爲她傷感呀，我也在爲我傷感呀，
——我要叫她來，叫她來把頭兒枕在我底心窩！

她口兒唱着令人癡迷的柔歌，
她手兒在 mandoline 底弦上輕撥。
她唱出的歌，她唱出的歌，
分明是訴說她曾被人百般地折磨…
哦，她底故國已將要毀破，
當然她過的是忍辱的生活！
我在爲她傷感呀，我也在爲我傷感呀，
——我要叫她來，叫她來把頭兒貼住我底心窩！

Adieu

我心中感着說不出的寂寞，

今夜我送你去飄泊！

但我更是個無籍的人，

明日，又有誰來送我！

哦，我決忘不了你！

因爲你有一對好眼，

比晴天底夜星還要明媚，

因爲你有一對可愛的，誘人的彎眉，

因爲你奇妙的聲兒

打動了我弱病的內肺，

因爲你身上的香澤

調理了我底呼吸，

並且因爲你底額兒是這般的秀美，

因爲你這金色的頭髮，

亂絲似的在肩上散披，

哦，我決忘不了你！

我心中感着說不出的寂寞，
今夜我送你去飄泊！
但我更是個無籍的人，
明日，又有誰來送我

Now I am a choreic man

跳個 walzer 罷!跳個 walzer 罷!

我愛你這一對眼睛
好像是藍寶石的水晶,
我愛你這一頭毛髮
好像是鍍金質的絲刷。

跳個 walzer 罷!跳個 walzer 罷!

我要借你底腰兒
曲一曲我這個直的硬臂,
我要借你底胸兒
壓一壓我未喘過的呼吸。

跳個 walzer 罷!跳個 walzer 罷!

我願我這枯瘦的容顏
在你底水晶中停留個很長的時間;

— 7 —

我願你底亂絲刷低揮，
來給我輕輕地掃一掃唇上的薄灰。

跳個 walzer 罷！跳個 walzer 罷！

若是明日我獨自死了時，
便再也不能到這兒來和你相見：
何若趁今日我能見你時
使我底狂病先痛快地發作一遍。

跳個 walzer 罷！跳個 walzer 罷！

〔V〕

MELANCHOLIA

此地不可以久留

'Αθυμία

I

此地不可以久畱！
海不停地喧鳴，
發出動人心臟的怒聲。
啊，不如歸去！

此地不可以久畱！
雪積在山上，
一片白色冷着人底眼光。
啊，不如歸去！

此地不可以久畱！
風忽來忽去地長歎，
使人全身都起着痙攣。
啊，不如歸去！

II

此地不可以久留！

— 1 —

男子們是又粗又惡，
只知道逢人便逞性地劫奪。
啊，不如歸去！

此地不可以久留！
女子們是裝出了愛嬌，
只會在人前做着假意的微笑。
啊，不如歸去！

III

此地不可以久留！此地不可以久留！
啊，不如歸去！啊，不如歸去！

——但是，不可以久留？我又怎能不留？
去？去？我該歸向那兒去？

夢　　　　人

是誰使這 violon 顫抖的歎聲
　來奪去了我耳旁的寧靜?
我是個夢人呀,
怎當得把這聲細聽,
　哦,細聽!

是那里 marronnier 底枯葉幾張
　被風擲在這寂寞的路上?
我是個夢人呀,
只有在這路上徬徨,
　哦,徬徨!

— 3 —

三　年　以　後

還是這用白石鋪着的，古舊的道路，
還是這綠色的河水在橋下緩流，
還是這兩行夾着道路的高柳，
還是這孤立的矮莊據在橋頭。

我慢慢地推開這莊園的門扉，
驚起了一羣小鳥在喧叫，亂飛，
各種的樹葉，花枝，落滿了一地，
葡萄蔓顫動地護着那牆邊的磚梯。

哦，一切都未曾改變，未曾改變！
只是往日我住在此地時，門內的堦前，
沒有這許多封住了入徑的，滑脚的苔斑：
此外一切都未曾改變，未曾改變！

哦，不過是三年的光陰，三年的光陰！
但是當我住在此地時，心胸尚是恬靜，安穩，
今日，我卻成了一個放蕩的，無希望的人…

其實不過是三年的光陰，三年的光陰！

— 5 —

我從 Café 中出來…

我從 café 中出來，
身上添了
中酒的
疲乏，
我不知道
向那一處走去，纔是我底
暫時的住家，
啊，冷靜的街衢，
黃昏，細雨！

我從 café 中出來，
在帶着醉
無言地
獨走，
我底心內
感着一種，要失了故國的
浪人底哀愁…
啊，冷靜的街衢

最後的禮拜日

唵！我好像看見「死」在緩緩地過去，

我眞好像看見「死」在緩緩地過去…

唉，這個天氣！唉，這突然的風！唉，這突然的雨！…

哦，風，來在路旁的那些樹上騷擾，放肆，

又不停地向下擲着那些與樹離別的枯枝…

哦，雨，帶着那陰鬱的，沉重的惡勢，

來把那些市場上的房屋，工廠內的烟突，公園中的長椅，哦，一切，一切，都淋得狠濕，狠濕…

哦，風！哦，雨！…

這一年又要完了，這一年又要完了，

唵！我底思鄉病！唵！我底傷感！唵！我底煩惱！…

那些 fêtes exotiques！Toussaint 呀，Noël 呀，都逃退得那樣的迅速，急躁！

這個最後的禮拜日，却被滿空的黑雲來妨害，損耗！…

使我喫驚不小，那所有的色都槁了，所有的香都消了，所有的調子都潰散了：

可憐的河邊林！可憐的畦中花！可憐的那些能唱的小鳥！

啊啊，可憐的我，——我已被失望逼得負了一身不能治的疲勞，

我怕這個一年最後的禮拜日也就是我底最後一朝！

我願，我願這個最後的禮拜日成我底最後一朝，

好使我這無用的身子像那些調子一樣去潰散，像那些香一樣去消，像那些色一樣去槁

啊啊，這個最後的禮拜日，這個最後的禮拜日，——這一年又要完了，完了，完了！…

滿空的黑雲，就把這個最後的禮拜日這樣妨害，損耗！就把晝光掩得這樣的晦窒！

哦，雨，雨又來把一切，一切，都淋得狠濕，狠濕…

哦，雨！哦 風！哦，風！哦，雨！

在這黑雲忽來忽去的晝光之下，我好像看見「死」，看見「死」在緩緩地過去…

禮拜堂底鐘，響得是粗暴而悲苦，

唉，athée 的我，也在這被鐘聲激蕩的石砦之外無言地逗遛！

那條狠長的大路，

已經是少有人行走，

只有些枯黃的落葉，被雨打得不能揚起的落葉，還隨着風勉強在地

上亂撲…

那一帶不知是誰家場圃底牆頭，

不是曾掛滿過葡萄底可愛深綠？

但是現在呀，却連一根老蔓也沒有！

——再見罷，葡萄的收獲！再見罷，那些大筐，小簍！

哦，那些放在 marronniers 下的大筐，小簍！

哦，再見罷，marronniers 底衰瘦的症候！

哦哦，marronniers 底衰瘦的症候，衰瘦的症候！

再見罷，再見罷，那些廣蔭底褪減，那些乾殼底剝落，還有那些褪減與剝落中的顫抖！…

使我底心在跳悸的是這些地上的落葉，

——哦，落葉！落葉！落葉！

你們有狠多是曾淪列在寂寞的牧場之上，任那些牛和羊往返地踏折；

你們有狠多是集積在廣闊的 boulevard 之間，任清道夫們底掃帚掠劫；

你們有狠多是去到了遠處的山野，

聚成高丘之後，便化作烈火，使居在荒地的 nomades 或 bohémiens 圍着過寒冷的時節；

你們又有狠多是去靠近那些傾陷了的墓堆，石碣，

爲那些無名的死人（怕總有在客中休息了的苦兵，憔悴過度而殤的勞工，因絕念而自殺的幻想者）

把沒有家族過問也沒有朋友尋弔的壙門給裝點，陳設…

這又是遠處的 cors ——聽！聽！

遠處的 cors，在用牠們野愁的音調來振動我底神經‥

牠們也不管人家心中是怎樣的酸痛，

只是奏着 ton ton，ton taine，ton ton!…

啊啊，ton ton，ton taine，ton ton!

——停止罷，你們這些難聽的聲！

你們就任風把你們送，送，送，

把你們送到北，送到南，送到西，又送到東…

但是我底神經已受不住這樣的振動，

唵！停止罷，你們這些難聽的聲！

唵！Taïaut! Taïaut! hallali!

這個天氣，像是更加昏黯，淒迷…

唉，這個天氣！唉，這個天氣！唉，這個天氣！

那些市場上的房屋，工廠內的煙突，公園中的長椅，

— 11 —

可不是都埋在了腐敗的穢銹裏?…

唉,令人得肺病的這個天氣!唉,令人得肺病的這個天氣!…

啊啊,滿空的黑雲就把這個一年最後的禮拜日這樣妨害,損耗!

被黑雲妨害,損耗的這個禮拜日給我的是思鄉病,給我的是傷感,煩惱…

那所有的色都槁了,所有的香都消了,所有的調子都潰散了;

這個天氣,這個天氣使我負着疲勞的身上更添了疲勞!

我願,我底身子也像那些調子一樣去潰散,像那些香一樣去消,像那些色一樣去槁;

我願這個最後的禮拜日,成我底最後一朝…

啊啊,這個最後的禮拜日,就被黑雲這樣妨害,損耗!

但是,最令人難受的還是這突然的風,這突然的雨,

哦,雨!哦,風!哦,風!哦,雨!

——我眞好像看見了「死」,「死」在緩緩地過去…

〔VI〕

飄　　　　泊

我飄泊在巴黎街上

我飄泊在巴黎街上，
踐着夕陽淺淡的黃光。
但是沒有一個人知道
我心中狠難治的痛瘡！

我飄泊在巴黎街上，
任風在我底耳旁苦叫；
我邁開我浪人的脚步，
踏過了一條條的石橋。

這一條條的石橋，都在横壓着河水，
河水是滿滿地泛着暗綠；
橋上的喧聲，是正伴着晝色底晚輝，
疲倦地向水上散落，蕩浮。

噢！一年一年地，時間只是往前狂奔，
橋上的行人也儘管換替！
然而橋總是默竪着鐵欄，又堅又穩，

— 1 —

水總是照常地打着岸堤！

多少悠揚的音樂，多少清婉的歌唱，
和多少的恥辱，悲哀，自殺，
都在這負着近代文明城市的河旁，
在這河旁來裝點着繁華。

是的，這兒清婉的歌唱，悠揚的音樂
是送了昨天，又送着今天！
這兒底人們是只在專想夢求歡樂，
每天裏就這樣自己催眠！

但是，那些恥辱，悲哀，却總不會停止，
只是在破着城市底甜蜜。
自殺也是不肯休息：失了名的死屍
連續地向這河中來沉積。

那麼，河，你是，用你這緩流着的波瀾，
常當着那寡言般的靜夜，
在招誘那些突然幻想滅了的青年，

那些或老或少的失望者！

那麼，河，你是，把那些在文明城市裏
不能够存在的生命，骨骸，
不能够用出去的，誠實的感情，眼淚，
時時地收沒，時時地掩埋！…

噢！所有的紀功坊，表彰名人的雕像，
都矗立在路旁，不搖不動！
國葬院底圓頂，誇耀着龐大的形狀，
總是驕傲地高聳在空中！

夕陽是已經在把薄影慢慢地退隱，
隔河的景色都入了模糊；
只有風還帶着激憤的，愁人的聲音，
來掃着一切的建築，房屋。

我飄泊在巴黎街上，
只聽得風不住地苦叫；
我放開我浪人的腳步，

踏遍了河水上的石橋。

我飄泊在巴黎街上，
伴着黄昏鬱結的黯光，
但是終久沒有人知道：
我心中有最大的痛瘡！

弔羅馬

登大墳以遠望兮，
聊以舒吾憂心。
（屈原）

Eine Welt Zwar bist du, O Rom: doch ohne die Liebe.
Wäre die welt nicht die welt, wäre denn-
Rom auch nicht Rom.
(Goethe)

I

我趁着滿空濕雨的春天，
來訪這地中海上的第二長安!
聽說這兒是往日許多天才底故家，
聽說這兒養育過發揚人類的文化;
聽說這兒是英雄建偉業的名都，
聽說這兒光榮的歷史永遠不朽…

哦，雨只是這樣迷濛的不停，
我底胸中也像是被纔潮的淚在浸潤!
——惱人的雨喲，愁人的雨喲，
你是給我洗塵，還是助我弔這荒涼的古城?

— 5 —

我要痛哭，我要力竭聲嘶地痛哭！

我要把我底心臟一齊向外嘔吐！

既然這兒像長安一樣，陷入了衰頹，敗傾，

既然這兒像長安一樣，埋着舊時的文明，

我，我怎能不把我底熱淚，我 nostalgia 底熱淚，

借用來，借用來盡性地灑，盡性地揮？

雨只是這樣迷濛的不停，

我已與伏在雨中的羅馬接近：

啊啊，偉大的羅馬，威嚴的羅馬，雄渾的羅馬！

我眞想把我哭昏，拚我這一生來給你招魂…

II

我看見羅馬城邊的 Tiberis 河，

忽想起古代的傳說：

那 Rhea Silvia 底雙生兒

不是曾在這河上漂過？

那個名叫 Romulus 的，

正是我懷想的人物。

他不願同他底兄弟調和，

只獨自把他理想中的都城建作。

他日夜不息，

他風雨不躲；

他築起最高的圍牆，

他開了最長的溝壑…

哦 像那樣原人時代創造的英雄喲，

在今日繁殖的人類中能不能尋出一個！

我看見羅馬城邊的山原，

忽想起古代那些詩人：

他們赤着雙脚，

他們袒着半胸，

他們手持着軟竿

趨着一羣白羊前進。

他們一面在那原上牧羊，

一面在那原上獨吟…

他們是眞正的創作者，

也是眞正的平民。

哦，可敬的人們，

怎麼今日全無踪影？

——原上的草喲，

你們還在爲誰長青!

III

啊,現在我進了羅馬了!

我底全神經好像在爆!

啊,這就是我要徘徊的羅馬了!

……………………………………

羅馬城,羅馬城,使人感慨無窮的羅馬城,

你底遺跡還是這樣的宏壯而可驚!

我踏着產生文物典章的拉丁舊土,

徘徊於建設光榮偉業的七丘之中:

啊啊,我久懷慕的「七丘之都」喲,

往日是怎樣的繁華,怎樣的名勝,

今日,今日呀,却變成這般的凋零!

就這樣地任牠亂石成堆!

就這樣地任牠野草叢生!

那富麗的宮殿,可不就是這些石旁的餘燼?

那歌舞的美人,可不就是這些草下的腐塵?

不管牠駐過許多說客底激昂辯論,

不管牠留過千萬人衆底合歎掌聲,

現在都只存了些銷散的寂寞,

— 8 —

現在都只剩了些死亡的沉靜…
除了路邊行人不斷的馬蹄車輪，
再也聽不見一點兒城中的喧音！
愛國的豪傑，行暗殺的志士，光大民族的著作者，
都隨着那已去的榮華，隨着已去的榮華而退隱；
榮華呀，榮華是再不能歸來，
他們，也是永遠地無處可尋！
看罷！表彰帝王威嚴的市政之堂
只有些斷柱高聳，殘堵平橫；
看罷！獎勵英雄功績的飲宴之庭
只有些黃土滿攤，荒藤緊封；
看罷！看罷！一切代表盛代的，代表盛代的建築物，
都只留得些敗垣廢墟，擺立在野地裏受雨淋，風攻…
哦，雨，洗這「七丘之都」的雨！
哦，風，掃這拉丁舊土的風！
古代的文明就被風雨這樣一年一年地洗完，掃淨！
哦哦，古代的文明！古代文明是由誠實，勇力造成！
但是那可敬愛的誠實的人們，勇力的人們，
現代的世界，他們爲甚麼便不能生存？
哦哦，現代世界的人類是怎樣墮落不振！

現代的羅馬人呀，那里配作他們底子孫！

Cato 喲，Cicero 喲 CÆsar 喲，Augustus 喲，

唉！代表盛代人物底眞正苗裔，怎麼便一概絕盡！

………………………………

IV

徘徊呀徘徊！

我底心中鬱着難吐的悲哀！

看這不平的山岡，

這清碧的河水，

都還依然存在！

爲甚開這山河的人呀，

卻是一去不回！

這一處是往日出名的大競技場，

我記起了建設這工程的帝王：

Vespasianus 是眞可令人追想，

他那創造時代的偉績，

永遠把誇耀遺給這殘士的古邦！

這一處是崇近舊 Forum 的凱旋門，

在這一望無涯的斷石壘壘中

我好像看見了 Titus 底英魂:
當他出征遠方的功業告定,
回國時,他回國時,
這直達 Via sacra 的大道之上,
是怎樣的擁滿了羣衆,在狂呼,歡迎!
這一處是矗立雲表的圓碑,
Trajanus 底肖像在頂上端立:
我看了這碑間雕刻的軍馬形迹,
我全身是禁不住的震慴,
震慴於他往日的蓋世雄威!
………………………………

徘徊呀徘徊!
過去那黃金般的興隆難再!
但這不平的山岡,
這清碧的河水,
都還未曾崩壞!
我只望這山河底魂呀,
哦,速快地歸來!

V

— 11 —

歸來喲，羅馬魂．

歸來喲，羅馬魂！

你是到那兒去遊行？

東方的 Euphrates 河？

西方大西洋底宏波？

南方 Sahara 底沙漠？

北方巴爾幹山脈底叢雜之窩？

哦，那一處不留着往日被你征服的血痕？

難道今日你爲飢餓所迫，竟去尋那些血痕而吞飲？

你可聽見尼羅河中做出了快意的吼聲？

你可聽見 Carthago 底焦土上吹過了嘲笑的腥風？

哦，歸來喲！歸來喲！

你若不早歸來，你底子孫將要長死在這昏沈的夢中！

——唉唉，Virgilius 與 Horatius 底天才不存！

Livius 底偉大名作也佚散殆盡！

這長安一樣的舊都呀，

這長安一樣的舊都呀，

我望你再興，啊，再興！再興！…

四月．一九二三．

別 羅 馬 女 郎

我可敬愛的羅馬女郎，

你，我將永遠不忘！

今晚的我呀！

就要別你這個光榮的故鄉！

你底故鄉，雖是惹人戀想，

但爲了和你相別呀，

我纔能這般惆悵，這般惆悵！

我最敬愛的羅馬女郎，

我一定是永遠不忘！

今夜的景色呀，

却怎麼是異常的凄涼！

凄涼，凄涼，我獨行在街上，

我想這兒若沒有你呀，

這羅馬城，怕只是個沙漠的窮荒！

但丁墓旁

現在我要走了(因爲我是一個飄泊的人)!
唉,你收下罷,收下我留給你的這個貭心!
　　我把我底心留給你底頭髮,
　　你底頭髮是我靈魂底住家;
　　我把我底心留給你底眼睛,
　　你底眼睛是我靈魂底墳塋…
我,我願作此地底乞丐,忘去所有的憂愁,
在這出名的但丁墓旁,用一生和你相守!
　　可是現在除了請你把我底心收下,
　　便只剩得我向你要說的告別的話!
　　　Addio, mia bella!

現在我要走了(因爲我是一個飄泊的人)!
唉,你記下罷,記下我和你所經過的光陰!
　　那光陰是一朶迷人的香花,
　　被我用來獻給了你這美頰;
　　那光陰是一杯醉人的甘醇,
　　被我用來供給了你這愛唇…

我眞願作此地底乞丐，棄去一切的憂愁，
在我傾慕的但丁墓旁，到死都和你相守！
　可是現在我惟望你把那光陰記下，
　此外應該說的只有平常告別的話！
　　Addio, mia Cara!

動身歸國的時候

昨夜我作了一個奇怪的夢。

我回到了已死的世紀，我故國底已死的世紀——我看見了治水的大禹，我看見了三千門徒圍着的孔子，我看見了在江邊行吟的屈原，並且我看見了建造萬里長城的那些不留姓名的大匠…

哦！天是那樣的清！風是那樣的溫！那樣合諧的音樂！那樣曳着舞帶的美女！

哦！好偉大的山！好壯麗的河！好動人的那些在慷慨悲歌的英雄！

於是我底靈魂充滿了榮耀的陶醉，我底肺部漲滿了自傲的呼吸，我把身子浸在那潔淨的陽光中，受着健全的空氣底愛撫。

……………………………………………………

但是，甚麽！甚麽！怎麽突然是一片荒墳？怎麽突然是望不盡的焦土？怎麽我底耳旁忽變成了可怕的寂靜？怎麽我底脚下全是些枯骨，死屍？甚麽！甚麽！甚麽！…

昨夜我作了這樣一個奇怪的夢。

啊啊！今早我由夢中醒了轉來，我身上的神經纖維全像是在被烈火焚燒，我底兩眼像是得了épiphora，並且像一個狂人似的，我用我握得狠緊的拳頭猛搥着我自己底胸膛，我喊叫，喊叫，啊啊！我底心都幾幾乎跳到了我底口裏…

我纔發見了我底罪惡，纔發見了我懶惰的罪惡，自私的罪惡——這兒不是我應該久留的地方，唉，去罷！去罷！…

去罷！還在這兒迷戀甚麼熱愛的情婦！

去罷！還在這兒沉湎甚麼芳烈的醇酒！

去罷！還在這兒居住甚麼華美的房屋！

去罷！還在這兒信託甚麼誠意的朋友！

怪可憐的，怪可憐的是我在這兒濫用了的感情！

怪可憐的，怪可憐的是我在這兒浪費了的聰明！

怪可憐的，怪可憐的是我在這兒丟棄了的青春！

怪可憐的，怪可憐的是我在這兒失掉了的眞心！

唵！我在這兒，在這兒儘管把我自己斷送着！…

我就忘記了我底來歷，我就忘記了我底出生地，我就忘記了我是一個有故國的人。

——哦，我，我是一個中國人呀！

我是中國人！

那兒，是往日產文明的舊土，
有過英雄，豪傑捨身，流血，
有過詩人，志士高歌.痛哭…

我是中國人！
那兒，有歷史要和地球同滅：
出過能創造時代的天才，
出過苦心救人類的聖者…

啊，我是中國人，光榮總在我靈魂中存在，
我應該紀念過去，
還應該悼傷現在，並且更應該希望未來！

啊，我是中國人，不應該求甚麼幸福，安甯：
還是迅速地歸去，
去揮我能流的眼淚，作我能知道的犧牲！

是的，現在我底故國卻是快要變成火後的廢墟了。那兒已經失了溫暖的白晝，那兒已經失了柔和的黑夜，那兒已經失了潔淨的晴天底藍色…——是的，現在我底故國卻是快要變成火後的廢墟了。

唉，還是歸去，歸去！我歸去，那怕僅僅是爲去到那兒人們中間作一種無意識的哭喊，那怕僅僅是爲去到那兒看護一個最不重要的受傷的人，那怕僅僅是爲去到那兒抱一抱從前認識或不認識的一架已朽的骨骸…

我，沒有能力的我，只會和故國底人們一同受苦，——只會和故國底人們一同受苦也好，總之，還是歸去，歸去！

唵！我在這兒 在這兒儘管把我自己斷送着！…

今日我纔要走了，決心地走了。——我何嘗不知道我可以在這兒追求快樂？我何嘗不知道我已對這兒生了難捨的情意？不過，我既然得了nostalgia，就須當服從nostalgia：這兒底一切雖然都好，但終竟不是我的！

那些 bals 內徹夜的音樂，
能使人在亂噪中感出調和。
我每當心中生了寂寞，
便去步踏那音樂…
哦，那確是能慰遣寂寞：

— 19 —

那時候，我就好像是另換了一種生活！
——但是，謝謝你們，謝謝你們，
你們這些 bals，從此我便再不進，不進你們底門！
因爲你們就再怎樣能使我靈魂興奮，
我在這兒卻終是一個呀，一個流落的人！

那些 bars 內酒精底烈香，
能使人把所有的憂患遺忘。
我每當心上有了痛瘡，
便去親近那烈香…
哦，那確是能平復痛瘡：
那時候，一切苦惱都離去了我底身旁！
——但是，謝謝你們，謝謝你們，
你們這些 bars，從此我便再不進，不進你們底門！
因爲你們就再怎樣能使我靈魂安穩，
我在這兒卻終是一個呀，一個流落的人！

……………………………………………………………

別了，別了，使我留戀的這兒底一切，使我徘徊不忍去的這兒底一切，使我在這臨去時動了傷感的這兒底一切！

——Adieu Quartier latin，adieu bouquineries riveraines，adieu marronniers ‥

哦，marronniers，
每當暖春的時候，
我常在你們廣大的葉蔭下停留，
我最愛你們廣大的葉蔭
在溫柔的天空下開展着深綠！

哦，marronniers，
每當涼秋的節季，
我常在你們剝落的聲音中獨立，
我最愛你們剝落的聲音
好像是很憂愁而疲倦 歎息！

……………………………………………………………………

——够了，够了。這兒底一切都不是我的，我就再怎樣惆悵，留連，也不能發見甚麼重要的意義，我還是堅忍地離開的好！我還是一點也不願惜地離開的好！

唉，那麼，這兒底一切，我都看厭了，看厭了…

Assez vu! sur les boulevards, les gens lents ou gais,

Assez vu! toutes les longueurs des ponts et des quais,

Assez vu! devant Notre-dame, les yeux des filles éclatants de flemmes,

Assez vu! sur les Champs-Elysées, la vive volupté du pas des femmes.

……………………………………………………………

★

唵！讓我慚愧罷，慚愧我過去對於有用時間的荒廢！

唵！讓我悔恨罷，悔恨我過去對於自己生命的失遺！

我最後再向這兒丟着表示終不能抑制悲慨的淚眼：

但這不是惜別，是哭我棄在這兒的那些少年的狂歡！

我那些少年的狂歡，是早已沒有了踪影，

我要是再想收回，哦，不能 不能，不能，不能！

我知道只有孤苦，憂愁，痛愴，絕望，陪伴我底前途；
我知道沒有甚麼安慰，可使我心上的病傷平復；
我知道現在是時候已到，須當收束我放蕩的生活，
我知道我除了去愛故國，再沒有方法贖我底罪惡！

是的，我底故國，那兒，偉大的民族，眼看就要破裂，滅亡！
我，還是歸去；迅速地歸去，這兒不是應該久留的地方！
這兒確能使人追求快樂，但可惜我已沒有追求快樂的心情！
這兒是近代文明底中心，但可惜我已厭惡這種近代的文明！
我給我底罪惡作別，給我收不回的那些少年的狂歡作別：
從此我身上的靜脈，要專爲故國去澎漲，專爲故國去發熱！
哦，所有我底墮落，所有我底頹廢，所有我底倦怠，
你們，你們就好好地住在這兒，切不要跟着我來！

唉，還是歸去，歸去，迅速而不遲疑地歸去！
難道我對於放蕩生活的享受還不滿足？
雖然我不知道我底故國能不能把我這個罪人接收，
但我覺得就在那兒尋辱，也較勝於在這兒儘管勾留！
總之那兒雖然快要成了火後的廢墟，但究竟是我底故國；
我終願在那兒埋我底屍身，不怕那土地就變得怎樣焦黑！

— 23 —

哦，這兒，哦，這兒，哦，這兒我底那些狠久的或不久的相識，
他們，從此總可以省去些無聊的禮貌和不重要的言辭！
哦，這兒，哦，這兒，哦，這兒那些常常用愛嬌迷我的女人，
她們，從此總可以少做幾次虛僞的交好，假意的殷勤！

我一面陸續接吻在我底手上，用來向這兒深深地送投，
一面振我底雙脚，在褪除着我不願帶走的這兒底塵土…

Seine, Seine！就是你有深綠而平靜的顏色，我也不管了！就是你有柔和或奔放的聲音，我也不管了！就是你有在夕陽中誘人傷感的情調，我也不管了！——并且我一樣的不管你近旁的甚麼老倦的Tevere，甚麼帶醉的 Guadalquivir，甚麼驕傲而貴族的 Rhein…

我，我，我現在急欲想要管的只是黃河，揚子江，只是黃河，揚子江，只是黃河，揚子江！

十二月，一九二五。

死前

王獨清 著

創造社出版部（上海）一九二七年八月初版。原書五十開。

死　前
王　獨　清
上　海
創造社出版部
1927

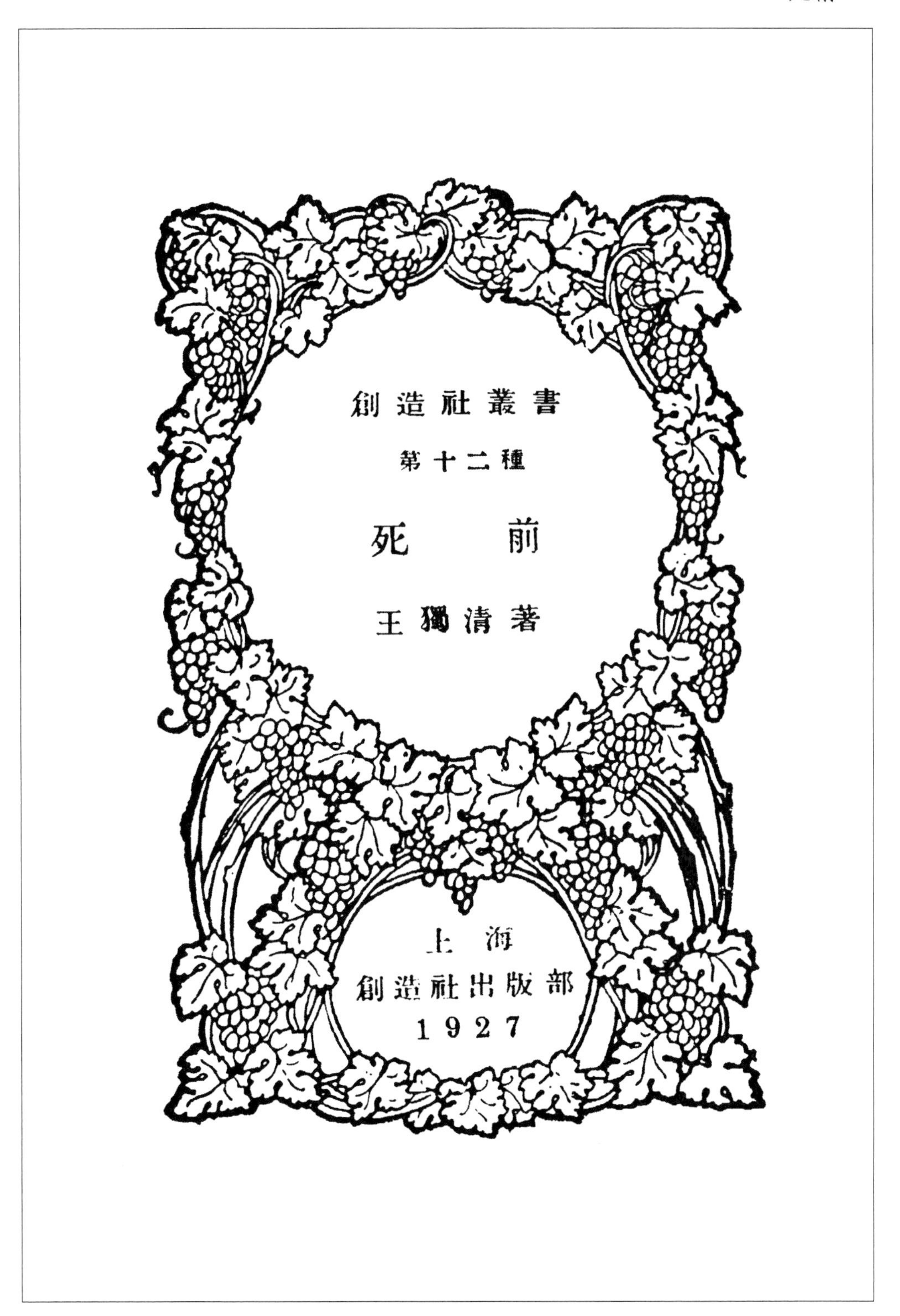
創造社叢書
第十二種
死　前
王獨清著
上海
創造社出版部
1927

死　　前

1927 6 1 付排
1927 8 15 初版
1——2000冊

每冊實價大洋三角

著　　者

（貽德作）

目　　錄

獻給 S 夫人

Tacendo il name di questa gentilissima

(Dante)

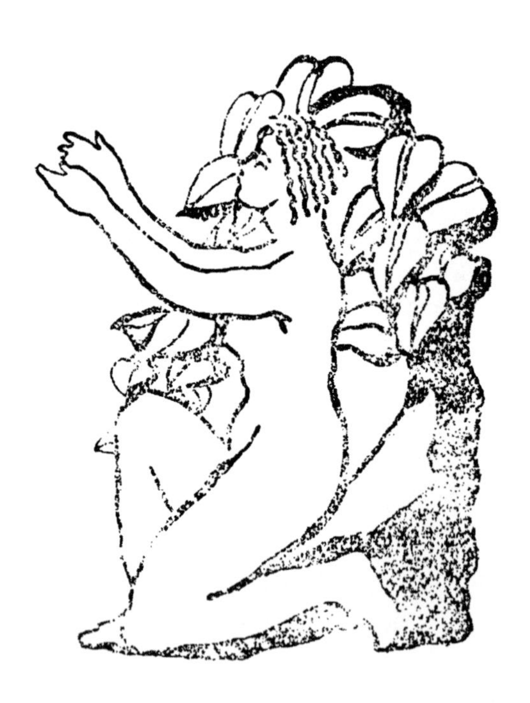

遺　　囑

啊今晚我，我就要死了，我就要死了，
，朋友，快來，來把我底這些詩稿燒掉！
我，我是一個孤獨的，一生飄泊的人，
還沒有完全離去所謂青春的年齡。
正當是孩童時便走出了我底故鄉，
就這樣，就這樣一個人飄泊在四方。
我底生活，完全是，是不健全的生活，
我底生活，是盡被無謂的傷感埋歿。
我死後不願意再聽到傷感的啼哭，
那都是無用的聲音，徒煩亂我心頭。
也不要去在我底墓前立甚麼碑銘，
只要能夠認識，都不妨把墓頂推平。
最好常到我墓前述我死前的疲倦，

(1)

好使，使我在墓中常感着悔恨，不安。

啊，今晚我，我就要死了，我就要死了，

朋友，快來，來把我底這些，詩稿燒掉！

一九，五月，一九二七

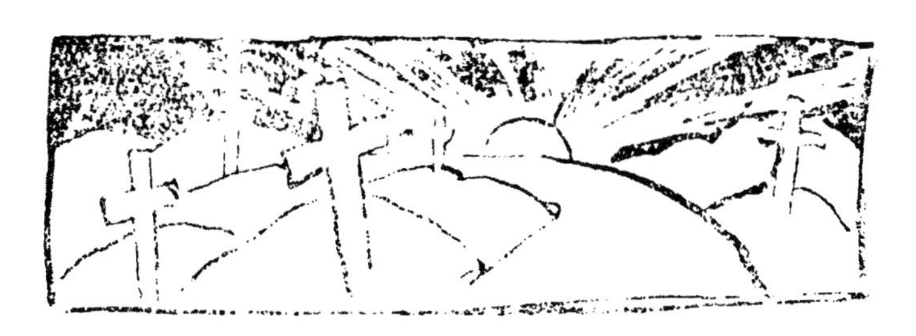

I

死前的希望

我是這樣的荒唐，你不要惱怒，氣憤，
我愛了你已經很久，哦，年青的夫人！
一年的光陰已經是很快地過去，
你更見年青，我卻是更顯得清癯，
我更顯得蒼白，你更顯得新鮮，
哦，我，我是殘冬，哦，你，你是春天！

我因爲遭過許多，許多的絕望，失敗，
青春的快樂好像是已經和我離開，
我已經得了不能醫治的心臟的重病，
我是被流浪，憂愁送了我過去的半生；
我一看見了那寂寞的荒涼的墳場，
我便想到了，我最後要休息的臥房・・・

〔3〕

但是你，你正在追求着青春的快樂，
你底生活是青春時代底快樂生活。
你是只見在整理着你底修飾，
你底臉上常敷着淡紅的胭脂，
你有一頭濃黑的頭髮在誇耀着你底年青，
你有一對表示着你沒有憂愁的明媚眼睛。

哦，我只願你底唇兒落在我底唇上，
年青的夫人，請你恕我這樣的荒唐！
我不知道是今晚或明天就要死去，
因爲我是這樣的蒼白，這樣的清癯・・・
我只求你底唇兒在我底唇邊來一沾，
哦，好使我到我底墓中去，安靜地長眠！

II

SONNET

現在是時候了！那夕陽憔悴的淡光裏，
黃葉正把園中的小徑深深地葬殯，

我們正好去緩步兒蹓遊，只有我和你，
要是你喜歡聽那腳下黃葉底聲音。

我愛你底裙邊，你縞素的，寬綽的裙邊，
在傳送着嫩涼的風前輕輕地飄盪；
我愛在使你裙邊輕輕地飄盪的風前，
看你好像受不住嫩涼的蒼白臉龐。

哦，快來把你底手捻住我的手，止一止我底寒慄！
並且再來把你底頰偎在我底頰上，
好用你清淨的濕淚洗一洗我不曾退掉的淚痕！

〔5〕

死　　前

我固然是一個流浪的人，心中滿塞着憂愁，痛苦，
但是，只要來默默地守在你底身旁，
啊，那我便能立刻忘去，忘去我底痛苦，我底憂愁！

SONNET

園中的樹葉都正隨着風散亂地落下，
落下來掩蓋着這兒底小徑，青苔。
我們兩個就儘管在這些落葉上踐踏，
冒着這樣輕寒的黃昏走去，走來。

這兒有菩提樹底葉，還有櫻桃樹底葉，
都像是在給我們訴牠們底不幸，
都像是在訴牠們被秋風任意地磨折，
在我們脚下做出鬼魂般的哭聲。

但是你，我心上獨有的人，你卻不要哭，不要哭！
因爲你若是向我來訴你底不幸時，
那我底傷感病便要發作了起來，再不能收束！

〔7〕

死　　前

我底傷感病要是一發作起來，便再不能收束！

因爲我要想起我自己底，不幸的事・・・

——哦，我們只聽這些死葉哭罷，但是你却不要哭！

[8]

SONNET

在這被秋夜籠罩着的寂靜的露臺上，
我看着你，你看着我，卻都守着沉默。
但是今夜你莫非有甚麽憂鬱和病恙，
因爲你底臉兒怎麽是這般的蒼白？

你這一頭濃厚的頭髮壓在你底鬢邊，
越顯得你身裁單弱得像病後一樣。
但是你身上披着的這件很薄的衣衫
怎能禦得住這露臺上浸人的夜涼？

只有你，纔能知道享受這秋夜底寂靜，
只有你，纔在這秋夜底寂靜內
知道享受這帶着憂鬱的沉默底深情。

〔9〕

死 前

我們就讓這沉默這樣守在我們面前，

就讓這樣你看着我，我看着你，

啊，就讓這樣，都莫要開言，都莫要開言！・・・

SONNET

啊，今日天氣怎麽是這樣的淒迷，這樣的陰鬱，
怎麽是這樣的，使人心中儘管在感着憂愁，惆悵！
這園中，這園中是灑遍了濛濛的，濛濛的細雨，
啊，灑遍了蒼苔，灑遍了石徑，灑遍了我們底衣裳！

濛濛的細雨在送着一片一片的白色的落花，
這園中，這園中好像是全被這細雨和落花掩埋；
落花是這樣隨着了細雨緩緩地，輕輕地墜下，
墜下來，來沾着我們底衣裳，沾着石徑，沾着

〔11〕

死　前

蒼苔。

細雨，細雨，細雨，落花，落花，落花，
我們，我們就走在蒼苔和石徑之上，
冒着細雨把落花往來地踐踏。

落花，落花，落花，細雨，細雨，細雨，
啊，我們都要和這細雨中落花一樣:
在靜默中，向着泥塗這樣歸去!・・・

SONNET

現在你晚間的比牙琴已經奏完，
去罷，我們正好到園中去看夏季的夜月。
現在，現在園中是正被花蔭填滿，
去罷，我們正好在那花蔭下往來地蹀躞。

現在你晚間的比牙琴已經奏完，
來罷，最好來把你底臂兒鈎在我底臂上。
現在，園中的月下全被花香籠占，
來罷，快來同我去接受那些迷人的花香。

啊，風是這樣的輕柔，這樣的溫和！
你看罷，看這地上，我心頭的人，
這地上的月光像是被我們踏破・・・

〔13〕

死　　前

啊，風是這樣的輕柔，這樣的溫和！

你看罷，看這地上，我心頭的人，

這地上我們底影兒已拼成一個・・・

III

因爲你···

又是這，這第二個，又是這第二個清明到臨，
還是和去年的一樣，天氣總是這樣的濕陰，
還是和去年一樣，這樣的細雨在灑着街塵。
　　但是我，我卻還沒有收拾我底行李，
　　這都是因爲，因爲你，我纔改了行期！

我曾看見了一次這園中，園中的葉落，花謝，
我和你曾在這園中小遊，踏着那殘花死葉，
可是現在又到了這園中葉發花開的時節。
　　但是我，我卻還沒有收拾我底行李，
　　這都是因爲，因爲你，我纔改了行期！

我初來時你穿的就是這一件薄夾的衣裳，

〔15〕

死 前

你配着這件衣裳底淺黑色澤，更顯得端莊，
現在我又看見你把這件衣裳穿在了身上。
　　但是我，我卻還沒有收拾我底行李，
　　這都是因爲，因爲你，我纔改了行期！

現在我，現在我，我底病已經是分外的加重，
我是，我是已經和去年此時完全不同，不同；
只是這，只是這一年的光陰過得太匆匆・・・
　　但是我，我卻還沒有收拾我底行李，
　　這都是因爲，因爲你，我纔改了行期！

約 定・・・

明日我，我就起程，我就起程！
但是像我，像我這樣的病人，
一定是活不出，活不出今春。
現在我先來和你這樣約定：
我死了時，你，你須得一個人，
一個人去，去叩，叩我底墓門・・・

明日我，我就起程，我就起程！
我們要像，像今日這樣談心，
恐怕今生，今生是再也不能。
現在我只有這樣和你約定：
我死了時，你，你須得一個人，
一個人去，去叩，叩我底墓門・・・

〔17〕

死　　前

明日我，我就起程，我就起程！
我一定死在那很遠的城鎮，
但是你，千萬費點心去訪尋。
現在我，我就和你不妨約定：
到那時，我只要你，你一個人，
一個人去，去叩，叩我底墓門・・・

明日我，我就起程，我就起程！
我死了沒有留戀，沒有悔恨，
因爲我，我是個飄泊的病人。
現在我，我只要來和你約定：
到那時，希望你，你是一個人，
一個人去，去叩，叩我底墓門・・・

〔18〕

別了・・・

別了，你這蓬鬆的髮髻！
別了，你這蒼白的口唇！
別了，你這肺病的臉龐！
別了，你這凝滑的頸項！

你把花雕酒斟滿了一杯，
送到我底面前，含着眼淚，
你說這是你給我最後的斟酒，
因爲我們一別，沒有再見時候。

我把口偎近在你手中的杯邊，
卻只去把杯中的酒飲了一半，
剩下的一半，我便請求你代我飲空，
使我再看一次你醉後頰上的淺紅。

〔19〕

死　前

我分明看見你流下了兩條眼淚，
由你底頰上一直地滴到了杯內，
但是你對我卻沒有一點言語，
只舉起杯來把殘酒吞了下去。

風不停地在客廳底窗外呼號，
雨也斷續地打着院中的芭蕉：
這雖然是這兒常有的天氣，
可是現在卻都充滿了別意・・・

我就這樣對着你默默地站起，
默默地把我底手伸出來給你，
你也伸出你底手來把我底手緊握，
啊，這一握，你從此寂寞，我從此飄泊！

死　　前

別了，你這多情的眼睛！

別了，你這無力的柔聲！

別了，你這迷人的呼吸！

別了，你這帶愁的彎眉！

〔21〕

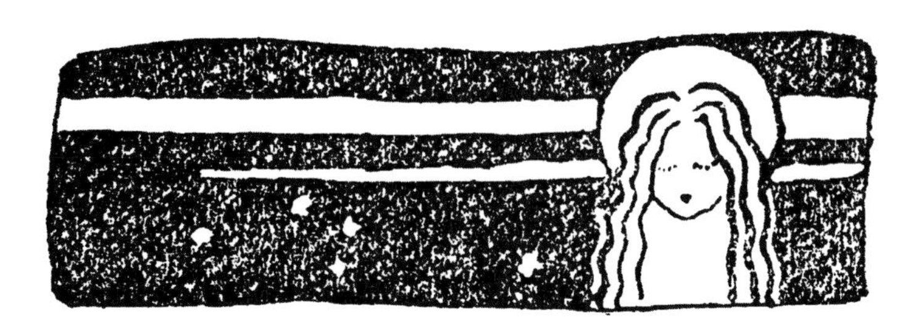

IV

唵，現在我已經看不見了你底容鬢，
，只有這樣遙遙地，默祝你幸福，安寧。
我想你一定還是照舊的沉默，鎮靜，
一定還是照舊的溫柔，照舊的年青。

現在我只有這樣遙遙地默祝你幸福，安寧，
你底高貴的姿態永遠在伴隨着我底靈魂，
我只恨和你相對時沒有盡情地沉醉，受領，
辜負了，辜負了那難得的，很長的一年光陰！

唵，現在，現在是我已經看不見你底容鬢，
我只有在回憶中細細地把你追尋，追尋。
可是畫家也難畫出你容鬢底秀媚，端正，

〔23〕

死　前

我底粗疎的回憶，又怎能把你記得分明，

我只記得，我只記得我初見你的那一早晨，
你底頭髮是鬆鬆地挽着個結鬟，垂在後頸，
那時我確是把你底面貌，顏色還沒有看清，
但是只你那烏黑的頭髮，已經是分外動人。

我只記得，只記得你因為你柔弱，多病，
你是懶去為梳理你底頭髮浪費精神；
後來纔剪成了時裝的短髮，稍加燙熨，
前額上還留着有，有薄薄的流海一層。

我只記得，你底前額眞是嬌嫩，潔淨，
額下的雙眉是生成了誘人的彎形，

死　　前

只那前額，雙眉，已經表出你底天性：
哦，那樣純潔，那樣聰明，又那樣多情！

我只記得，我和你相對時的情境，
你總是不肯，不肯，不肯多出聲音，
但是只有你那不變的沉默，鎮靜，
纔能，能使我，完全皈依，完全傾心！

我只記得你，你雖然總是不肯多出聲音，
你活潑的眼睛已把你底心事向我傳盡，
我知道你在向我訴你身世底孤苦，不幸，
哦，我從來沒見過，像你那樣活潑的眼睛！

我只記得，你那美好的，可愛的鼻根，

死　前

我只記得，你那莊重的，無邪的口唇，
我只記得你底兩頰帶着病的灰青，
可是却常泛着年青的，風情的紅暈。

我只記得，你那莊重的無邪的口唇，
很少，很少，很少留過長時間的笑痕，
有時輕輕地開啓，卻只帶着些嬌困，
並不露一點輕薄，只顯得特別溫存。

我只記得，你項間是常圍着淺綠色的圍巾，
我只記得，你所穿的衣裳都是異常的合身，
我只記得，你衣裳底顏色都很是素淨，淡純，
我只記得，你有時是長衣，有時是短衫，黑裙。

死　　前

我只記得，你手兒是又纖，又長，又軟，又凝，
左腕上還帶着個金串，越顯得腕兒白嫩，
我只記得，當你在比牙琴底琴櫈上坐定，
我曾細聽過，由你那手兒下流出的妙聲。

我只記得，你常當着夕陽已落的黃昏時分，
在園中緩緩地散步，我有時在你身後隨行，
我最愛看，最愛看你那豐美的，嬌小的脚脛，
我最愛看，最愛看你那端整的，窄秀的脚跟・・・

唵，你底，你底姿態總在伴隨着我底靈魂，
我只有，只有在回憶中來把你這樣追尋！
但是你高貴的姿態，就是畫家也難畫準，
我這粗疎的回憶，又怎能把你記得分明！

〔27〕

死　前

我只願,我只願你照舊的沉默,鎮靜,溫柔,年青,
我,我再在這兒,我再在這兒遙祝你幸福安寧。
我知道我現在的生命,已是不能久留的生命,
唵,這些回憶,我只有預備一齊帶進,我底墓坑!

獨清詩集

王獨清 著

新宇宙書店（上海）一九二八年六月初版。原書六十四開。

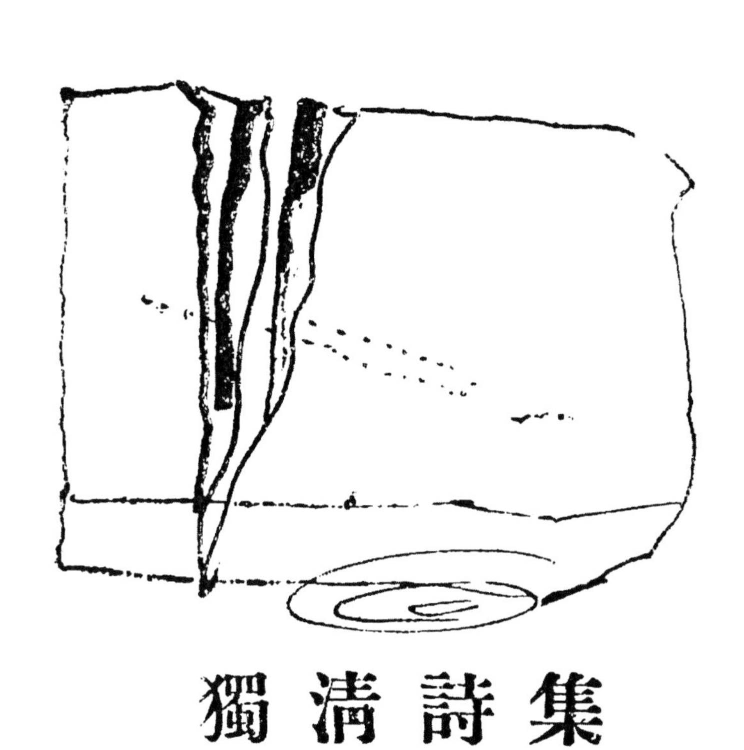

獨清詩集

王 獨 淸 著

上海新宇宙書店印行

1928

獨清詩集

王獨清著

新宇宙書店出版部

上海閘北橫濱路八號

獨 清 詩 集

目　錄

1928 5,15 付排

1928 6,15 初版

1——1000

每冊實價二角

失望的哀歌

唵，太陽施着夕暮的光輝，
涼風開始了愁人的號吹！
我在這高欄的橋上凝立，
瞭帶着一種傷感的迷惑。
唵，人生正像是這片河水，
過去的那些奔流的波迹
　　是再也不回！

是的，使過去的生命再回，誰也不能！
不管是歡樂，悲哀，不管是友誼，愛情，
不管是沈醉，希望，非常溫柔的心境，
不管是寶貴的眼淚和誠意的誓盟！

但是我不是享受過最可愛的時間？

我不是有永遠地不能忘記的紀念?

　　唵,回憶罷!唵,回憶罷!

　　在這憔悴般的夕照下,

我願我病循的心向沈夢中去安眠!

哦!一個溫和而早暖的春天,一個溫和而早暖的

　　春天,

只有我和她,對坐在一所幽靜的廣軒。

被陽光射滿了的窗扉在半開,半掩,

那沒有塵埃的庭地都是 mosaique 的花磚。

她披着件單薄的長衣,色澤很是素淡,

越顯得她臉兒蒼白,瘦弱,可憐;

像病了一樣的,她略露着怯懶,

不曾梳理的黑髮蓬鬆在她潔淨的額間。

一個作畫的檯架放在她底當面,

她用她那可愛的右手描着我底容顏;

她描好幾筆，便轉過她動人的眼兒來把我一看，
看過後，又舉起手兒去在檯架上細描一番。
此時只有和靄的沉默把四圍占據，
我覺得，這世界上除我和她以外，一切都像是早
　　已消失。
我覺得她是高貴而莊重，却沒有一點兒虛驕的
　　氣質；
我覺得她有嫵媚的姿態，雖然是不曾修飾。
我覺得我已改變了生活，再不像是個勞苦的浪
　　子；
我覺得我今生最愛的是她，並且，是爲了她，我
　　纔在這世界上寄居！
我陷入了陶醉的境狀，就這樣無言地和她對坐，
任她不停地看我，不停地描我，——作着她那優
　　美的工作。
我就這樣無言地和她對坐，她就不停地作着她

底工作，
一直到窗扉上的陽光快要沉沒：
她纔放下了筆兒，帶着工作後的煩悶，
無氣力地在做着她嬌困的欠伸；
我走向前去扶着她慢慢地起立，我底鬢磨着了
她底膩鬢，
我底手觸着她底纖手，我底肩和她底柔肩相親，
我們都倚在窗邊，——窗外有薔薇的棚架，
又有茂盛的丁香，滿開着紫色的繁花。
微風由 marronniers 底頂上緩緩落下，
擕着些輕冷，來吹動她底黑髮。
只有我和她，倚在窗邊，送着陽光淡紅的薄影，
此時除了那些樹枝顫抖的音響，再沒有別的喧
聲。
她忽然把頭兒靠到了我底胸前，好像耐不住那
侵人的輕冷，

哦，就這樣！我們是漸漸地，漸漸地隱在了黃昏
之中・・・

唵，眞可追想的那些可愛的時間！
唵，永遠地不能忘記的那些紀念！
我依着橋上的高欄，
獨望着水上的綠漣。
回憶罷！回憶罷！
我願我底心呀，
就儘管這樣在沈夢中安眠！

她底眉兒是怎樣的表示着她純潔的性格！
她底唇兒是怎樣的泛着那嬌潤的顏色！
她底臉龐是那樣的秀媚，美好！
她底身裁是那樣的端莊，窈窕！
她底裝束又是何等的優雅，孤獨：

那淡青的頸巾！那薄黑的衣服！
她雖然是像有說不出的憂愁，失意，
常借她本來穩重的態度，守着厭煩多言的靜默，
但是那傷害年青的，悲苦的痕迹，
却一點也不曾上她姣嫩而白皙的前額！
她底眼兒雖然是不肯向人多看，
常矜持地下垂，好像含羞一般，
但是她那傳達着情緒的眼臉，
怎能掩住她眼兒裏的明淨，新鮮！
她底頭髮和她底衣服是一樣的色澤，但却更要
　　濃厚，光滑；
她嬈弱的雙肩，又像勝不起她衣服底輕壓；
沒有一種音響像她聲兒那樣使人感得甜蜜；
沒有一種動搖像她步兒那樣能把人引得癡迷；
她底淺響能教人發見她姿致是分外娟妙；
她底微笑能誘人證出她底精神確是清高——

啊，她那清高的精神！啊，她那清高的精神！
她底舉動是無處不流露着大方，溫存！
並且問那不施脂粉的素頰，不多整理的鬆鬢，
使人一見便知道，她從來不用無聊的修飾去消
　　耗光陰！

　　唵，眞可追想的那些可愛的時間！
　　唵，永遠地不能忘記的那些紀念！
　　　我伏着橋上的高欄，
　　　凝望着水上的綠漣。
　　　　囘憶罷！囘憶罷！
　　　　我願我的心呀，
　　　就儘管這樣在沈夢中安眠！

哦！使我最不能忘記的是那一早晨，
她很匆忙地走進了我在等着她的那個 Salon 底

寬門。

她是還穿着她長裙的寢衣，還沒有顧得梳裝，整頓：

她底黑髮還散披在肩頭，她蒼白的頰上還帶着睡痕！

她纔看見了我，便奔向前來，用她半裸的兩臂抱住我底頸項，

仰起她底臉兒在向我訴說，但却哽咽得不能成聲；

她底眼兒在漲着熱淚，她底胸兒在起着鼓動，

她那不能抑止的感情，竟使她失了平日裏的鎮靜，從容！

她在斷續的向我訴說，她說她是犯了罪過，

她說她從此要謝絕一切人生的快樂；

她說她明知道不應該在那樣的環境中愛我，

但她自主的能力，她克制的意識，却都完全被我

收沒;
她說爲免除各人底煩惱,困難,
她只好讓我遠去,不敢强我再在她底身邊留連,
若是將來有一天,有一天我要來和她再見,
那便請我不要忘記了,以後她底住所是最幽靜
的坟園!···
哦!她儘管向我訴說,任熱淚把她底臉兒浸洗,
她酥軟的胸兒是鼓動得更促更急。
她底悲苦純然是眞誠底流露,沒有一點兒假意:
她是怎樣的倒在了 Canape 之上,幾乎,幾乎窒
閉了呼吸!
哦!只有她,纔能觸動我深奧的靈魂!
哦!只有她,纔是我眞正的愛人!
我瘋了一般的抱住她,在她冰冷的額兒上狂吻,
她額兒上爲我出的那層薄汗,直沁痛了,沁痛了
我底內心···

那一早晨是暴風像要把樹木吹折，
斜雨濕遍了寂寞而嫩寒的長街，
我低着頭走下了那個莊園門前的白滑的石堦，
遂與我一生唯一可戀的，一生唯一可戀的寓所，
　　作了最後的告別。

　　　　唵，過去的生命怎麼就這樣在失望中
　　　　　　消亡？
　　　　所餘留的卻僅僅是一個結在心上的病
　　　　　　苦！
　　　　但是她底容貌，言語，到死也留在我底
　　　　　　心上，雖然我是再不能靠近她底
　　　　　　身旁！

　　　　　　現在四面都已經入了沈默，
　　　　　　河水底顏色也變成了黯黑。

停止罷，我底沈夢！
爆裂罷，我底哀痛！
　那些紀念，
　那些紀念，
已把我底心湧滿：
我願我底全身呀，
　快到地去
去作永遠的安眠！

NOW I AM A CHOREIC MAN

跳個 walzer 罷！跳個 walzer 罷！

我愛你這一對眼睛
好像是藍寶石的水晶，
我愛你這一頭毛髮
好像是鍍金頁的絲刷。

跳個 walzer 罷！跳個 walzer 罷！

我要借你底腰兒
曲一曲我這僵直的硬臂，
我要借你底胸兒
壓一壓我未喘過的呼吸。

跳個 walzer 罷！跳個 walzer 罷！

我願我這枯瘦的容顏
在你底水品中停留個很長的時間，
我願你底亂絲刷低揮，
來給我輕輕地掃一掃唇上的薄灰。

跳個 walzer 罷！跳個 walzer 罷！

若是明日我獨自死了時，
便再也不能到這兒來和你相見：
何若趁今日能見你時
使我底狂病先痛快地發作一通。

跳個 walzer 罷！跳個 walzer 罷！

三年以後

還是這用白石鋪着的，古舊的道路，
還是這綠色的河水在橋下緩流，
還是這兩行夾着道路的高柳，
還是這孤立的矮莊據在橋頭。

我慢慢地推開這莊園的門扉，
驚起了一羣小鳥在喧叫，亂飛，
各種的樹葉，花枝，落滿了一地，
葡萄蔓顫動地護着那牆邊的磚梯。

哦，一切都未曾改變，未曾改變！
只是往日我在此地時，門內的堦前，
沒有這許多封住了入徑的，滑脚的苔斑：
此外一切都未曾改變，未曾改變！

哦，不過是三年光陰，三年的光陰！
但是當我住在此地時，心胸尚是恬靜，安穩，
今日，我却成了一個放蕩的，無希望的人・・・
其實不過是三年的光陰，三年的光陰！

最後的禮拜日

唵!我好像看見'死'在緩緩地過去,

我眞好像看見'死'在緩緩地過去・・・

唉,這個天氣!唉,這突然的風!唉,這突然的風!・・・

哦,風,來在路旁的那些樹上騷擾,放肆,

又不停地向下擲着那些與樹離別的枯枝・・・

哦,雨,帶着那陰鬱的,沉重的惡勢,

來把那些市場上的房屋,工廠內的烟突,公園中的長椅,哦,一切,一切,都淋得很濕,很濕・・・

哦,風!哦,雨!・・・

這一年又要完了,一年又要完了,

唵!我底思鄉病!唵!我底傷感!唵! 我底煩惱!・・・

那些 fêtes exotiques Toussaint 呀,Noël 呀,都逃退得那樣的迅速,急躁!

這個最後的禮拜日,却被滿空的黑雲來妨害,損耗!・・・

使我吃驚不小,那所有的色都槁了,所有的香都消了,所有的調子都潰散了:

可憐的河邊林!可憐的畦中花!可憐的那些能唱的小鳥!

啊啊,可憐的我,——我已被失望逼得負了一身不能治的疲勞,

我怕這個一年最後的禮拜日也就是我底最後一朝!

我願,我願這個最後的禮拜日成我底最後一朝,

好使我這無用的身子像那些調子一樣去潰散，像那些香一樣去消，像那些色一樣去槁・・・

啊啊，這個最後的禮拜日，這個最後的禮拜日，——這一年又要完了，完了，完了！・・・

滿空的黑雲，就把這個最後的禮拜日這樣妨害，損耗！就把晝光掩得這樣的晦窒！

哦，雨，雨又來把一切，一切，都淋得很濕，很濕・・・

哦，雨！哦，風！哦，風！哦，雨！

在這黑雲忽來忽去的晝光之下，我好像看見'死'，看見'死'在綏綏地過去・・・

禮拜堂底鐘，響得是粗暴而悲苦，

哦，athée 的我，也在這被鐘聲激蕩的石砦之外無言地逗遛!

那條很長的大路,

已經是少有人行走,

只有些枯黃的落葉,被雨打得不能揚起的落葉,還隨着風勉强在地上亂撲・・・

那一帶不知是誰家塲圃底牆頭,

不是曾掛滿過葡萄底可愛深綠?

但是現在呀,却連一根老蔓也沒有!

——再見罷,葡萄的收獲!再見罷,那些大筐,小簍!

哦,那些放在marronniers 下的大筐,小簍!

哦,再見罷,marronniers 底衰瘦的症候!

哦哦,marronniers 底衰瘦的症候,衰瘦的症候!

再見罷,再見罷,那些廣蔭底褪減,那些乾完底剝落,還有那些褪減與剝落中的顫抖!・・

使我底心在跳悸的這些地上的落葉，

——哦，落葉！落葉！落葉！

你們有很多是曾淪列在寂寞的牧場之上，任那些牛和羊往返地踏折；

你們有很多是集積在廣闊的 boulevard 之間，任清道夫們底掃帚掠刦。

你們有很多是去到了遠處的山野，

聚成高丘之後，便化作烈火，使居在荒地的 nomades 或 bohémiens 圍着過寒冷的時節；

你們又有很多是去靠近那些傾陷了的墓堆，石碣，

爲那些無名的死人〔怕總有在客中休息了的苦兵，憔悴過度而殤的勞工，絕念而自殺的幻想者〕

把沒有家族過問也沒有朋友尋弔的壙門給裝點,陳設・・・

這又是遠處的 cors——聽!聽!

遠處的 cors,在用牠們野愁的音調來振助我底神經・・・

你們也不管人家心中是怎樣的酸痛,

只是奏着 ton ton,ton taine,ton ton!・・・

啊啊,ton ton,ton taine,ton ton!

——停止罷,你們這些難聽的聲!

你們就任風把你們送,送,送,

把你們送到北,送到南,送到西,又送到東・・・

但是我底神經已受不住這樣的振動,

嘅!停止罷,你們這些難聽的聲!

嗆! Taïaut! Taïaut! hallali!

這個天氣,像是更加昏黯,淒迷・・・

唉,這個天氣!唉,這個天氣!唉,這個天氣!

那些市場上的房屋,工廠內的烟突,公園中的長椅,

可不是都埋在了腐敗的穢銹裏?・・・

唉,令人得肺病的這個天氣!唉,令人得肺病的這個天氣!・・・

啊啊,滿空的黑雲就把個一年最後的禮拜日這樣妨害,損耗!

被黑雲妨害,損耗的這個禮拜日給我的是思鄉病,給我的是傷感,煩惱・・・

那所有的色都槁了,所有的香都消了,所有的調子都潰散了;

這個天氣,這個天氣使我負着疲勞的身上

更添了疲勞！

我願，我底身子也像那些調子一樣去潰散，

像那些香一樣去消，像那些色一樣去槁；

我願這個最後的禮拜日，成我底最後一朝

・・・

啊啊，這個最後的禮拜日，就被黑雲這樣妨害，損耗！

但是，最令人難受的還是這突然的風，這突然的雨，

哦，雨！哦，風！哦，風！哦，雨！

——我眞好像看見了'死'，'死'在綏綏地過去・・・

弔羅馬

登大墳以遠望兮，
聊以舒吾憂心。
(屈原)

Eine Welt zwar bist du, O Rom:
doch ohne die Liebe。
Ware die Welt nicht die
Welt, wäre denn
Rom auch nicht Rom。
(Goethe)

1

我趁着滿空濕雨的春天，
來訪這地中海上第二長安！
聽說這兒是往日許多天才底故家，
聽說這兒養育過發揚人類的文化；

聽說這兒是英雄建偉業的名都，
聽說這兒光榮的歷史永遠不朽・・・

哦，雨只是這樣迷濛的不停，
我底胸中也像是被縱潮的淚在浸潤！
——惱人的雨喲，愁人的雨喲，
你是給我洗塵，還是助我弔這荒涼的古城？
我要痛哭，我要力竭聲嘶地痛哭！
我要把我底心臟一齊向外嘔吐！
既然這兒像長安一樣，陷入了衰頹，敗傾，
既然這兒像長安一樣，埋着舊時的文明，
我，我怎能不把我底熱淚，我 nostalgia 底熱淚，
借用來，借用來盡性地灑，盡性地揮？

雨只是這樣迷濛的不停，
我已與伏在雨中的羅馬接近：

啊啊，偉大的羅馬，威嚴的羅馬，雄渾的羅馬！
我眞想把我哭昏，拚我這一生來給你招魂•••

II

我看見羅馬城邊的 Tiberis河，
忽想起古代的傳說：
那 Rhea Silvia 底雙生兒
不是曾在這河上漂過！
那個名叫 Romulus 的，
正是我懷想的人物。
他不願同他的兄弟調和，
只獨自把他理想中的都城建作。
他日夜不息，
他風雨不躲；
他築起最高的圍牆，

他開了最長的溝壑・・・
哦,像那樣原人時代創造的英雄喲,
在今日繁殖的人類中能不能尋出一個!

我看見羅馬城邊的山原,
忽想起古代那些詩人:
他們赤着雙脚,
他們袒着半胸,
他們手持着軟竿
趨着一羣白羊前進。
他們一面在那原上牧羊,
一面在那原上獨吟・・・
他們是眞正的創作者,
也是眞正的平民。
哦,可敬的人們,
怎麼今日全無蹤影?

——原上的草喲，
你們還在爲誰長青？

III

啊，現在我進了羅馬了，
我底全神經好像在爆！
啊，這就是我要徘徊的羅馬了！
．．．．．．．．．．．．
羅馬城，羅馬城，使人感慨無窮的羅馬城，
你底遺跡還是這樣的宏壯而可驚！
我踏着產生文物典章的拉丁舊土，
徘徊於建設光榮偉業的七丘之中：
啊啊，我久懷慕的'七丘之之'中，
往日是怎樣的繁華，怎樣的名勝，
今日，今日呀，却變成這般的凋零！
就這樣他地任牠亂石成堆！

就這樣地任牠野草叢生!
那富麗的宮殿,可不就是這些石旁的餘燼?
那歌舞的美人,可不就是這些草下些腐塵?
不管牠駐過許多說客底激昂辯論,
不管牠留過千萬人衆底合歡掌聲,
現在都只存了些銷散的寂寞,
現在都只剩了些死亡的沉靜・・・
除了路邊行人不斷的馬蹄車輪,
再也聽不見一點兒城中的喧音!
愛國的豪傑,行暗殺的志士,光大民族的著作者,
都隨着那已去的榮華,隨着已去的榮華而退隱;
榮華呀,榮華是再不能歸來,
他們,也是永遠地無處可尋!
看罷!表彰帝王威嚴的市政之堂
只有些斷柱高聳,殘堵平橫;
看罷!契勵英雄功績的飲宴之庭

只有些黃土滿擁，荒藤緊封；
看罷！看罷！一切代表盛代的，代表盛代的建築物，
都只留得些敗垣廢墟，擺立在野地裏受雨淋，風攻・・・
哦，雨，洗這'七丘之都'的雨！
哦，風，掃這拉丁舊土的風！
古代的文明就被風雨這樣一年一年地洗完，掃淨！
哦哦，古代的文明！古代文明是由誠實，勇力造成！
但是那可敬愛的誠實是人們，勇力是人們，
現代的世界，他們爲甚麼便不能生存？
哦哦，現代世界的人類是怎樣墮落不振！
現代的羅馬人呀，那里配作他們底子孫！
Cato 喲，Cicero 喲，Caesar 喲，Augustus 喲，・

· ·

唉!代表盛代人物底眞正苗裔,怎麽便一概絕盡!

· · · · · · · · · · · · · · · · · · · ·

IV

徘徊呀徘徊!

我底心中鬱着難吐的悲哀!

看這不平的山岡,

這清碧的河水,

都還依然存在!

爲甚開這山河的人呀,

却是一去不回!

這一處是往日出名的大競技場,

我記起了建設這工程的帝王:

Vespasianus 是眞可令人追想,

他那創造時代的偉績，
永遠把誇耀留給這殘土的古邦！
這一處是靠近舊 Forum 的凱旋門，
在這一望無涯的斷石壘壘中
我好像看見了 Titus底英魂：
當他出征遠方的功業告定，
回國時，他回國時，
這直達 Via sacra 的大道之上，
是怎樣的擁滿了羣衆，在狂呼，歡迎！
這一處是聳立雲表的圓碑，
Trajanus 底肖像在頂上端立：
我看了這碑間雕刻的軍馬形迹，
我全身是禁不住的震懾，
震懾於他往日的蓋世雄威！
• • • • • • • • • • • • • • •

徘徊呀徘徊!

過去那黃金般的興隆難再!

但這不平的山岡,

這清碧河水,

都還未曾崩壞!

我只望這山河底魂呀,

哦,速快地歸來!

V

歸來喲,羅馬魂!

歸來喲,羅馬魂!

你是到那兒去遊行?

東方的 Euphrates 河?

西方大西洋底宏波?

南方 Sahara 底沙漠?

北方巴爾幹山脈叢雜之窩?

哦，那一處不留着往日被你征服的血痕？
難道今日你爲飢餓所迫，竟去尋那些血痕而呑
飲？
你可聽見尼羅河中做出了快意的吼聲？
你可聽見 Carthago 底焦土上吹過了嘲笑的腥
風？
哦，歸來喲！歸來喲！
你若不早歸來，你底子孫將要身死在這昏沈的
夢中！
——唉唉，Virgilius 與 Horatius 底天才不存！
Livius 底偉大名作也佚散殆盡！
這長安一樣的舊都呀，
這長安一樣的舊都呀，
我望你再興，啊，再興！再興！・・・

四月，一九二三

死 前

我是這樣的荒唐，你不要惱怒，氣憤，
我愛了你已經很久，哦，年青的夫人！
一年的光陰已經是很快地過去，
你更見年青，我却是更顯得清癯，
我更顯得蒼白，你更顯得新鮮，
哦，我，我是殘冬，哦，你，你是春天！

我因爲遭過許多，許多的絕望，失敗，
青春的快樂好像是已經和我離開，
我已經得了不能醫治的心臟的重病，
我是被流浪，憂愁送了我過去的半生；
我一看見了那寂寞的荒涼的墳場，
我便想到了，我最後要休息的臥房・・・

但是你，你正在追求着青春的快樂。
你底生活是青春時代底快樂生活。
你是只見在整理着你底修飾，
你底臉上常敷着淡紅的胭脂，
你有一頭濃黑的頭髮在誇耀着你底年青，
你有一對表示着你沒有憂愁的明媚眼睛。

哦，我只願你底唇兒落在我底唇上，
年青的夫人，請你恕我這樣的荒唐！
我不知道是今晚或明天就要死去，
因爲我是這樣的蒼白，這樣的消瘦・・・
我只求你底唇兒在我底唇邊來一沾，
哦，好使我到我底墓中去，安靜地長眠！

（自死前）

別了・・・

別了，你這蓬鬆的髮鬢！
別了，你蒼白的口唇！
別了，你這肺病的臉龐！
別了，你這凝滑的頸項！

你把花雕酒斟滿了一杯，
送到我底面前，含着眼淚，
你說這是你給我最後的斟酒，
因爲我們一別，沒有再見時候。

我把口偎近在你手中的杯邊，
卻只去把杯中的酒飲了一半；
剩下的一半，我便請求你代我飲空，
使我再看一次你醉後頰上的淺紅。

我分明看見你流下了兩條眼淚，
由你底頰上一直地滴到了杯內，
但是你對我却沒有一點言語，
只舉起杯來把殘酒吞了下去。

風不停地在客廳底窗外呼號，
雨也斷續地打着院中的芭蕉：
這雖然是這兒常有的天氣，
可是現在卻都充滿了別意・・・

我就這樣對着你默默地站起，
默默地把我底手伸出來給你，
你也伸出你底手來把我底手緊握，
啊，這一握，你從此寂寞，我從此飄泊！

別了,你這多情的眼睛!
別了,你這無力的柔聲!
別了,你這迷人的呼吸!
別了,你這帶愁的彎眉!

賽因河邊之冬夜

冷皓的冬夜籠罩了巴黎全城，
繁華都市漸漸地變成寂靜；
埋在灰色下的這近代文明之區，
風在繞着嗥啕悲鳴。
這時那行人稀少的賽因河邊
有幾個貧民睡在了敗葉之中。

天上的月色朦朧，
隱約地可看見這幾個人底形影：
他們都是容顏瘠瘦，
他們都是亂髮蓬蓬，
都是裹着件襤褸的短衣，
像死了一樣的臥着不動。

啊啊，兄弟們，你們冷麼？
你們可是今日給人作了一天的苦工，
纔買了一瓶紅酒，就坐在這地上痛飲不停，
發狂了一般的亂叫雜唱以後，
倒下去便爛醉不醒？
啊，可憐的兄弟們喲，
ABSINTHE 是被他們禁了！
再沒有那樣强烈的好酒
使你們得安然作長時間的甜夢！

你們可還記得那過去的戰爭？
你們是曾怎樣爲了祖國去犧牲！
血泊塗汚了你們底兩手，
炮烟熏黑了你們雙鬢……
到現在他們都吼起了"馬賽歌"歡祝得勝，
又有誰來管你們這些退了伍的苦兵？

啊,兄弟們醒些兒罷!
你們且傾耳細聽,
是那裏淫蕩的笑聲?
夜珈琲店內的電火正明,
他們正在那兒逞性亂行:
妖女在猥抱緊擁,
短髮半裸的黑奴做着引起肉感的 Chica 之樂器
助興……
啊,可憐的兄弟們喲,
你們聽!你們聽!

風就不停地這樣悲鳴!
我查這文明都市不過是罪惡的深坑!
兄弟們,醒來罷,醒來罷,
唉!我看你們只是沉睡不醒!

我很不得學一個羅馬底 Nero，

把這繁華的巴黎城用火來一烘！

歸不得

(一個飄泊人底 Nostalgia)

秋風起了，Populus 在搖落着了。啊，到處都是黃葉，引人傷感的黃葉！

我飄泊得好像無籍者的我，還是照舊踏着異國底土地，却越發頹唐得不能有一刻的振作，在這秋風中抖着兩肩，向着東方遠望。

唉唉，可憐我底心，可憐我底心，——一個火山底噴口，沒有一個人來過問，只是自己燒着自己底死骨……

不能忘懷的是我底故國：那兒底太陽可還送着溫暖的光輝？那兒底晨風可還蕩着柔和的呼息？那兒底天空可還從着潔淨而深藍的顏色？

不能忘懷的是我底故國：那兒的黃河該不曾改變那偉人的形狀？那兒的揚子江該不曾退

滅那可驚的汪洋？那兒底萬里長城該不曾磨滅那閃耀着久遠歷史的石上的光芒？

唉唉，可憐我底心，可憐我底心，——一個火山底噴口，沒有一個人來過問，只是自己在燒着自己底屍骨……

我在大西洋底沙濱上受着浪花底浸潤，我在阿爾佈斯底峯下仰望着永不消溶的白雪。但是那浪花不能洗除我底憂憤，那白雪也不能冷退我胸中鬱積的煩熱！

Porthenon底殘柱下我曾往返徘徊，古羅馬底 Forum 中我也曾躑躅幾回。但是那些過去的文明的墟墓，只使我想念故國的愁病更重了起來！

唉唉，可憐我底心，可憐我底心，——一個火山底噴口，沒有一個人過問，只是自己在着自己底死骨……

哦，風呀，向東方吹着的風呀，你帶我去罷！因爲這兒不能使我痛快地號咒，因爲這兒不能安我底靈魂，因爲這兒使我常背着羞辱，因爲這兒使我常在依賴中生存……

地中海底水，你可能通到黃海中去麼？我願跳在你底波下，我願成爲你波下的魚蝦！

只是秋風起了，我，還是踏着異國底土地要是我再不能歸去，那我便祈禱這迷天的黃葉，——啊，來，來，來把我這無用的骨骸掩埋掩埋，掩埋！……

（九月，一九二五。）

留　別

（獻給同情於我的廣州諸青年同志）

走了，走了，我這個有心臟病的流浪人！
你們，你們是永遠在牽留着我底靈魂！
現在正是迫人的冬天到臨了的時節，
但是這兒南國底暮風還帶着些微熱。
我心中充滿了惜別的，留戀的感情，
用我這悽愴的誠意來給你們辭行。

我對你們懷抱着一種不能言說的希望，
因爲你們住的是這不朽的人豪底故鄉。
啊，這不朽的人豪底故鄉使我留連，低徊，
我留連這兒底殘蹟，我低徊這兒底刦灰！
聽說那不朽的人豪曾在這刦灰中流離：

他爲了保民族底自由，决然地視死如歸……

這滿崗底黃花都已隨着季候散落，
散落了的黃花在道上塵土中埋殁；
太陽還拖着迷人的灰白的淡光，
在暖着這兒冷了的黑色的長江。
我哭不醒這兒失去了的偉大英魂，
我只有掉轉了淚眼，啊，望着你們！

我是生成的不醫治的憂鬱性情，
送行的烈酒也熱不起來我底神經。
我在這兒已住滿了一年的光陰，
一切都能死去，只有這紀念長存。
要載我去的客船已經停泊在冬天底霧裏，
我給你們最後的贈言：努力，努力，努力，努力！

我是在用悽愴的誠意來給你們辭行，
我底心中充滿了留戀的，惜別的感情。
現在雖然是冬天底霧色到臨了的時節，
可是這兒南國的暮風却總帶着些微熱。
你們，你們眞是永遠牽留着我底靈魂，
啊，走了，走了，我這個有心臟病的流浪人！
（二八日，一月，一九二七。）

譚詩

——寄給木天伯奇——

木天.
伯奇:

我現在動筆給你們兩個寫這封信，我底身子已在上海了。

離歐洲以前，在意大利 Venise 住了好久，後又重歷羅馬，直探Pompei之廢墟，在那著名的古文明的遺蹟中徘徊痛哭——哦，那時的我，簡直想長眠在那兒！簡直想那在我面前噴着黑烟的火山再崩了下來，好使我和那片最可愛慕的土地一同溶化！那時的我，眞不願再回來了！後又在瑞士留連了好久，取道里昂，由馬賽上船歸國。可是不幸得很，船一到了 Port Saïd，看見那些可憐的埃及人，使我對於東方的感情立地變成了幻滅的悲哀。唉，可憐的東方！像埃及那樣古文明的國家，現在竟墮落到那步田地！他們，那些可憐的埃及人，只知道駕着帆船來接客，或是拿着種種的商品叫賣，簡直像忘記了他們往日的偉大和光榮。我禁不住便吟出我底哀了歌：

唉！埃及人，埃及人，埃及人，埃及人！
我對你們是有無限尊敬的熱忱，
難道你們只做這樣接客的人？

唉！埃及人，埃及人，埃及人，埃及人！
我對你們是抱着個愛慕的眞心，
難道你們却只能作這樣的商人？

我近來做詩，很愛用疊字疊句，我覺得這是一種表人感情激動時心臟振動的藝術，並是一種激刺讀者，使讀者神經發生振動的藝術。——木天！我一到了上海，沫若便把你底信拿出來給我看,我不覺吃了一驚:何以你對於詩的觀念竟這樣和我相似!你在談 J. Laforgue,而 Laforgue 恰是我精神上的 Maitre我曾把他底詩集放往牀頭日夜熟讀,我曾把他底詩集帶到珈琲館,帶到散步場去和我相伴。不錯,他就是一個最愛用疊字疊句的詩人。他出名的"L'hiver qui vient" 和'Dimanches"都是這種方法的。你說念不懂他底詩,其實並不止你,我在法國, 和許多法國友人談到他底詩時,十有九都在罵他的。可憐! 可憐 Laforgue 竟不能得到他同國人全部的了解,倒還是我這個外國人能懂他底語言。但是,木天,你旣是主張「詩要暗示」,你旣是主張「詩最忌說明」,我想你對於他底詩,總不至於「念不懂」罷?

歸國後第二天便和沫若談了許多關於詩上的雜話。讀了你底「雨後」,覺得你是完全受了 Remy de Gourmont 底影響的。我覺得我現在唯一的工作更是鍛鍊我們底語言。我很想學法國象徵派詩人,把「色」(Couleur)與「音」(Musique)放在文字中,使語言完全受我們底操縱。我們須得下最苦的工夫,不要完全相信甚麼Inspiration沫若說我愛上了象徵派底表現法。要算是一種變更:因爲我從前的詩作法全是 Byron 式的,Hugo 式的,這話狠不錯。我現在很想來和你談一談我對於詩底藝術所下的工夫,就是說我近來苦心把「色」與「音」用在我們語言中的經過,或者也是你所願意聽的罷?

我上前年第一次遊羅馬時,曾做了一篇「弔羅馬」的長詩,這詩寄回國時,沫若伯奇曾同讀過,那雖不免是一篇很接近 Byron式的詩篇,但中間已經插入了

徘徊呀徘徊!

我底心中鬱着難吐的悲哀!

看這不平的山崗，

這清碧的河水，

都還依然存在，

爲甚開這山河的人呀，

却是一去不回！

這已是注重音節的句調了。以後我便漸漸地以全副精神來做這方面的工作。要是可不管文學史上的年代與派別，只以個人底愛好而定過去詩人底價値時，那我在法國所有一切的詩人中，最愛四位詩人底作品:第一是Lamartine，第二是Verlaine，第三是Rimbaud，算四是Laforgue。Lamartine所表現的是「情」(émotion)，Verlaine所表現的是「音」，Rimbaud所表現的是「色」，Laforgue所表現的是「力」(Force)。要是我這種分別可以成立時，那我理想中最完美的「詩」便可以用一種公式表出：

(情＋力)＋(音＋色)＝詩

其次，我所取的詩形有以下數種：

1。散文式的——無韻，不分行。

2。純詩式的——有韻，分行{限制字數。不限制字數。

3。散文式的與純詩式的。

在以上的公式中最難運用的便是「音」與「色」，特別是中國底語言文字，特別是中國這種單音的語言與構造不細密的文字。我最傾心Verlaine所說的

De la musique avant toute chose,

但我同時又感到實行這個信條的困苦。我最愛讀 Verlaine 底 "Chanson d' automne 一類的詩歌，那樣用很少的字數奏出合諧的音韻，我覺得纔是最高的作品。但這類作法實在不是一回容易事，稍一粗糙，便成了不倫不類的東西。我曾

有一首「我從 Cafe 中出來」,覺得尙可滿意:

我從 Cafe 中出來,
身上添了
中酒的
疲乏,
我不知道
向那一處走去,纔是我底
暫時的住家…
啊,冷靜的街衢,
黃昏,細雨!

我從 Cafe 中出來,
在帶着醉
無言地
獨走,
我底心內

感着一種，要失了故國的

浪人底哀愁…

啊，冷靜的衢街，

黃昏，細雨！

這種把語句分開，用不齊的韻脚來表作者醉後斷續的，起伏的思想，我怕在現在中國底文壇，還難得到能了解的人。這首詩底詩形就是我所採取的「純詩式」中「限制字數」的。這詩除了第一句與末二句兩節都相同外，其餘第一節中第二第三第四第五第六各行與第二節中第二第三第四第五第六各行字數相同。並且兩節都是第二行與第五行押韻，第三行與第六行押韻，第四行與第七行押韻。這樣，故表形儘管是用長短的分行表出作者高低的心緒，但讀起來終有一貫的音調。這樣，我覺得纔是 Stimmungskunst呢。

要治中國現在文壇審美薄弱和創作粗糙的

弊病，我覺得有倡 Poesie pure 的必要。——木天！如你所主張的「詩的統一性」和「詩的持續性」，我怕有只有 Poèsie pure 纔可以表現充足。像Verlaine 底"La bonne chanson"中的第六篇便是一個最好的例。Samain 也正是這樣的一個詩人，像 "Chanson d' ete" (見"Au jardin de l' infante" 集中) 那種詩篇原也不能說是亞於 Verlaine 底「合歡會」集中諸名作，我們也應當要求其產生。

Rimbaud 在他底「地獄中之一季」(Une saison en enfer 中說到他對於藝術的主張，開首便先自命為癡狂，——"A moi。L'histoire d'une de mes folies" ——這實在是不錯的。因為一個詩人總應該有一種異於常人的 Goût：常人認為「靜」的，詩人可以看出「動」來；常人認為「朦朧」的，詩人何以看出「明瞭」來。這樣以異於常人的趣味製出的詩，纔是「純粹的詩」。Baudelaire底精神，我以爲便是眞正詩人底精神。不但詩是最忌說明，詩人也是最忌求人了解！求人了解的詩人，只是一種迎合婦孺的賣唱者，不能算是純粹的詩人！若果詩人底詩篇引動了民衆底鼓掌，那只是民衆偶然能相當的了解詩人底詩篇，却並不是詩人故意求民衆了解。（木天，至於純粹詩歌與國民文學不矛盾的所在，你已說得很透徹了。）故我以爲要求最好的詩，第一先須要求詩人去努力修養他底「趣味」(Goût)。——這似乎還沒有人主張過，但我却認爲是一個最重要的尤其是中國現在的詩壇不可緩的要求。

可不是？正因爲 Rimbaud 有異於常人的Goût，即所謂「癡狂」，他纔能有

A noir, E blanc, I rouge, O bleu, U vert。

的發明。眞是的！他底詩實在非一般人所能了

解。但要是有人能用很强的 sensibility 去誦讀，我相信定會得到異樣的色彩。像這樣的藝術，就是我極端所傾慕的藝術。我也曾在這方面努力，雖然中國底文字有種種阻礙成功的缺點。我曾有過這樣的詩句：

在這水綠色的燈下，我癡看着她，
我癡看着她淡黃的頭髮，
她深藍的眼睛，她蒼白的面頰，
啊，這迷人的水綠色的燈下！

這種「色」「音」感覺的交錯，在心理學上就叫作「色的聽覺」(Chro matic audition)；在藝術方面，卽是所謂「音畫」(Klangmalerai)。我們應該努力要求這類最高的藝術；我們應該要求如伯奇所說的「水晶珠滾在白玉盤上」的詩人；我們應該向「靜」中去尋「動」，向「朦朧」中去尋「明瞭」：我們唯一要入的是眞的「詩的世界」。

其次，我所以愛 Lamartine，就是因爲他雖然未必用心去製造甚麼「色」「音」一致的藝術，但他那種在沈默中求動律的手腕也可以使他底作品成爲「純粹的詩」（像"Le Lac"，"Le premier regret" 等都是很適當的例）。至於 Laforgue，他的詩簡直可以說十有八九都是我想吟咏的：他底詩纔不是平面；他底詩纔是動運的，數學的；他底詩纔是有統一性與持續性的作品——他是最高的力之表現的詩人，他是我精神上的 Maître

其實，Laforgue 只算得是我底同調者。我愛他讀底"L'hiver qui vient"，但當我還未曾讀他這篇詩時，我曾做過一首「最後的禮拜日」，不料竟同他有不期而合的地方。當我做那首詩時，意思是在想表一種冬日（法蘭西底冬日）底 Melan cholia：我想，最好是用極不相同的長短句與斷續的疊字疊句來表現。故我那首長詩中往復地用着

　　　　唉，這突然的風！唉，這突然的雨！

與

　　　哦，雨！哦，風！哦，風！哦，雨！

及至讀了 Laforgue 底“L'hiver qui vient”，纔知道他已先面用了。他是同樣的在叫着

　　　　Oh! tombée de la pluie! Oh! tombée
　　　　　de la nuit!
　　　　Oh le vent!...

法蘭西冬日底 Chasse，算是一件最能引起人特別感情的事。只要你聽過那些 Tajaut 等的呼聲和獵號(Cor)底鳴響，你一定會表到異様的悲哀與淒楚。所謂“ton ton ton tainc ton ton”，卽是Cor所奏的獵曲中每節底末句：這是我最愛聽而

又最怕聽的一種聲音。我在「最後的禮拜日」中曾這樣寫道:

這又是遠處的Cors——聽!聽!
遠處的 Cors,在用牠們野愁的音調來
振動我底神經…
牠們也不管人家心中是怎樣的酸痛,
只是奏着Ton ton, ton taine, ton ton!
啊啊,Ton ton, ton taine, ton ton!
——停止罷,你們這些難聽的聲!
你們就任風把你們送,送,送,
把你們送到北,送到南,送到西,又送
到東…
但是我底神經已受不住這樣的振動,
唵!停止罷,你們這些難聽的聲!

我那首詩自巳還覺得有相當的滿意,但不料 Laforgue 在他底"L' hiver qui vient"中也有了

同樣的描寫。不過他底寫法另是一種情調：他簡直被Cor 底聲音聒擾得要發起狂來了！木天，這便是你所引的

Les cors, les cors, les cors——Melan

coliques!…

Melancoliques!…

S' en vont, changeant de ton,

Changeant de ton et de musique,

Ton ton ton taine, ton ton!…

Les cors, les cors, les cors!…

S' en sont allés an vent du Nord。

其餘我那首還有與 Laforgue 類似的地方，也再不必舉列了。總之這種疊字疊句的寫法，這種長短斷續的寫法，可以說是一種「力」之表現。

木天！你說你主張詩底形式力求複雜，這話很對。可惜中國現在詩壇底詩大部分還不感其

爲形式。我以爲詩底形式固不妨複雜，但每種形式却必須完整。中國人近來儆詩，也同中國人作社會事業一樣，都不肯認眞去做，都不肯下最苦的工夫：所以產生出的詩篇，只就 technique 上說，先是些不倫不類的劣品。從前中國詩人有因苦思蹙脫了眉毛，又因沉吟而走入醋甕；歐洲近代詩人更爲了求藝術的精進，不惜吸 haschisch 以自戕。獨有我們中國現在的詩人粗製濫造，不願多費腦力：這眞是一件最可痛心的事！木天！我望我們多下苦工夫，努力於藝術的完成，學 Baudelaire，學 Verlaine 學 Rimbaud，做個唯美的詩人罷！

詩，作者不要爲作而作，須要感覺而作(écrire pour sentir)，讀者也不要爲讀而讀，須要爲感覺而讀(lire pour sentir)。可惜我們中國現在既無這樣的作者，更無這樣的讀者。Verlaine

底"Nocturne parisien" 正是這樣作出而要求這樣讀者的詩。我很想在這方面努力，可惜力量太不足了，比較能滿意的有

我把我底心留給你底頭髮；
你底頭髮是我靈魂底住家；
我把我底心留給你底眼睛，
你底眼睛是我靈魂底墳塋。

還有，我所取的詩形中有「散文式的詩與純文式的」，這是 Rimbaud 應用過的("Une saison en enfer")。我覺得的形式也很重要。因散文式有散文式能表的思想事物，純詩式有純詩式能表的思想事物；如一篇長詩，一種形式要是不足用時就可以兩種並用。我由法國動身時曾有一篇「動身歸國的時候，」卽是採取這種形式。木天，我很望將來你一讀牠呢。

伯奇！這封信一半是沫若叫我寫的；一半是

我讀了木天給沫若底信，覺得很有同感，不由得要求加入一談。對於這種新的藝術，沫若底意見也正一樣。不過，我同木天一樣，雖然主張唯美派的藝術，但同時又承認這與國民文學毫無矛盾而主張國民文學！雖然我歸國後，感到了種種幻滅的悲哀，但我底歸國，畢竟是受了 Nostalgia 底誘惑的。我在那篇「動身歸國的時候」的長詩中曾有一節法文詩（詩篇中加外國文字，也是一種藝術，近代歐洲詩人應用者甚多。這不但是在本國文字中所不能表的可以表出，並且能增加一種 exotic 的美；更可以使詩中有變化及與人刺激諸趣味）。道：

Assez vu! sur les boulevards, les gens lents
  ou gais,
Assez vu! toutes les longueurs des ponts et
  des quais,

Assez vu! devant-Notre dame, les yeux des
Filles éclatants de Flammes,
Assez vu! sur les champs-elysees la vive
volupte du pas des femmes。

伯奇!只樣這四行詩,你也可以看出我歸國
時的心情了罷?
——我在最後希望你們兩個對我這封信都
寫些意見。

獨清。一九二六年二月四日,在上海